L'ANCIEN RÉGIME

DU MÊME AUTEUR

Le Siècle de Louis XIII, Paris, Presses Universitaires de France (coll. « Que sais-je ? », n° 1138).

Le Siècle de Louis XIV, Paris, Presses Universitaires de France, 1962 (coll. « Que sais-je ? », n° 426).

Le Siècle de Louis XV, Paris, Presses Universitaires de France (coll. « Que sais-je ? », n° 1229).

EN PRÉPARATION

La fin de l'Ancien Régime, Paris, Presses Universitaires de France (coll. « Que sais-je ? ».

« QUE SAIS-JE ? »

LE POINT DES CONNAISSANCES ACTUELLES

N° 925

L'ANCIEN RÉGIME

par

Hubert MÉTHIVIER

Inspecteur général de l'Instruction Publique

QUATRIÈME ÉDITION MISE A JOUR

PRESSES UNIVERSITAIRES DE FRANCE

108, BOULEVARD SAINT-GERMAIN, PARIS

—

1968

CINQUANTE-TROISIÈME MILLE

DÉPOT LÉGAL

1re édition .. .. .. 2e trimestre 1961
4e — .. .. .. 2e — 1968

TOUS DROITS

de traduction, de reproduction et d'adaptation
réservés pour tous pays

© 1961, *Presses Universitaires de France*

INTRODUCTION

Qu'est-ce que l'Ancien Régime ? Depuis que la génération révolutionnaire l'a baptisé, depuis que sa synthèse a été tentée par un Tocqueville soucieux de souligner la continuité française malgré 1789, ou par un Taine insistant sur la coupure en lui opposant le « régime moderne », historiens, juristes, économistes en tentent laborieusement l'analyse au microscope, apportant toujours un peu plus de lumière sur les ténèbres qui enveloppent encore ces siècles que le grand public croit connaître. Clartés très sporadiques encore, mais secteurs localement et profondément explorés et défrichés : une institution juridique ou politique, une région géographique ou un groupement humain d'activités diverses. Lentement, la vie de nos ancêtres d'avant la Nuit du 4 Août apparaît à nos yeux, mais l'essentiel dort encore dans les Archives, des richesses de l'hôtel Soubise, ou du Grand Minutier de France, son annexe, aux trésors enfouis dans nos provinces, Archives départementales et municipales, châteaux et presbytères, et études notariales.

Notre propos ? Etablir une esquisse du bilan des travaux récents et des connaissances actuelles ; faire le point, au risque d'offrir un tableau hybride et incomplet qui tiendra à la fois, sans être nettement ni l'un ni l'autre, d'un manuel d'institutions juridiques, d'un aperçu d'histoire sociale et économique, et d'un répertoire bibliographique. Nous avons, par un choix limité de faits et d'idées, suggéré les problèmes posés par la conjoncture économique (d'un caractère mondial et dépassant la nature même de l'ancienne France), abordé les problèmes de causalité et d'évolution, insisté sur les éléments structuraux et sociaux qui constituaient l'essence de l'Ancien Régime.

1º L'Ancien Régime est d'abord une *société*, dont la structure offre un triple aspect : elle est *coutumière* ; les « coutumes » héritées des longs siècles médiévaux sont les lois qui règlent les rapports entre individus et entre communautés diverses d'un même « pays » (ville ou région historico-géographique), le fondement du droit privé de chaque province, de chaque bailliage même, issu d'un pacte public, d'un vrai contrat social entre les Trois Ordres du pays, sauf dans les régions du Midi où régnaient le Code justinien, le droit romain. Dumoulin, grand juriste du XVIe siècle, disait : « Nos coutumes sont notre vrai droit commun. » Le droit privé reste théoriquement la chose des peuples, produit de leur consentement, comme le droit public est la chose du roi souverain, mais la Coutume, disait-on, est issue « du vrai naturel français ».

Un autre aspect de cette société est d'être *corporative* et *hiérarchisée* (1). L'individu ne compte pas en lui-même, sauf son âme chrétienne, mais il n'a pas d'autres droits que ceux dont jouit son groupement social. Ces groupements ne sont pas des castes, car ils sont ouverts et accessibles, avec bien des modalités, et l'histoire de cette société est celle d'une poussée ascensionnelle ; c'est l'effort des individus pour se hausser dans la hiérarchie juridique, matérielle ou morale de ces collectivités. On les appelle indifféremment *corps*, *communautés*, *compagnies*, « *estats* », etc. Chacun d'eux a ses droits et règlements, ses « libertés » ou « franchises », ses *privilèges*, c'est-à-dire ses lois privées. L'organisation corporative, armée des privilèges particuliers de chaque corps, est donc le fondement de la Société d'Ancien Régime. Et ces corps sont innombrables et de tous statuts : les Trois ordres, les municipalités de villes, les communautés d'habitants de villages ou de paroisses, les corps de marchands et communautés d'arts et métiers, les divers corps d'officiers royaux, les collèges et compagnies d'auxiliaires de la Justice (avocats, procureurs, notaires, etc., et la Basoche de leurs clercs), les compagnies de Commerce, celles de Finance (fermiers d'impôts, banquiers, etc.), les médecins, barbiers-chirurgiens (confrérie de Saint-Côme), apothicaires, les universités et les collèges, les académies, les communautés ecclésiastiques, les hôpitaux, etc. Tout est communauté, collectivité dotée de ses « libertés et privilèges », jusqu'à l'humble « Général de la paroisse » qui n'est autre que l'Assemblée des habitants, tenanciers, métayers, chefs de famille ou de « feux », tenue à l'issue de la messe dominicale pour prendre certaines décisions d'intérêt local à la requête du seigneur ou des agents du roi. Et la hiérarchie sociale était double : il y avait certes l'échelle économique des classes et catégories de revenus, mais il y avait bien plus les hiérarchies psychosociales, les mentalités issues

---

(1) Olivier MARTIN, *L'organisation corporative de la France d'Ancien régime*, 1938.

du degré de naissance ou de l'appartenance à tel corps, Etat ou communauté : toute une cascade de mépris. Tel gentilhomme, réduit à de maigres rentes seigneuriales, méprise le riche marchand dont il épouse la fille pour« redorer son blason» et « fumer ses terres ». « Mme la Baillive et Mme l'Elue », dont parle Molière, fières épouses d'officiers royaux, dédaignent les bourgeoises, les « demoiselles » de leur petite ville, même les femmes de gros négociants. Et lesdits négociants méprisent les artisans et gens de métiers. « La marchandise méprise la mécanique » (E. Coornaert). Dans les campagnes, le gros fermier général qui truste les exploitations agricoles et souvent perçoit pour son seigneur les redevances paysannes, méprise en bon « coq de paroisse » les autres paysans, mais il est au fond méprisé du bailli ou du procureur fiscal du seigneur qui, même souvent besogneux, sont néanmoins gens de loi et officiers détenteurs d'une parcelle d'autorité publique, exempts de taille et du logement des gens de guerre : privilèges qui sont leur vraie richesse morale et mentale en les élevant bien au-dessus des roturiers du cru.

Enfin, dernier aspect : cette société est *catholique*. Peu importent le degré de ferveur ou de piété des sujets du Roi Très Chrétien, non plus que le degré d'incrédulité des libertins du XVIIe siècle ou des philosophes du XVIIIe. Mais la religion catholique est celle de « l'Etat et Couronne de France », et l'armature sociale, profondément religieuse, enveloppe la vie de tout Français du baptême à l'extrême-onction. Cette société a ses parias, les hérétiques, les juifs, les comédiens, tous ceux que réprouve l'Eglise et qu'elle chasse des cimetières paroissiaux, de la « terre sainte ». Le clergé détient l'état civil avec registres des baptêmes (non des naissances), des mariages (un sacrement relevant du droit canon avant d'être un contrat civil) et des enterrements. Tous les établissements d'enseignement, du village, s'il y a une école enfantine, aux Collèges et aux Universités, sont de fondation religieuse (à l'exception de rares fondations royales), et la plupart des activités humaines se placent sous l'égide de l'Eglise et de la religion, depuis l'œuvre d'assistance (hôpitaux et hospices) issue de la vertu théologale de charité, jusqu'aux divers métiers, états et professions : tout corps ou communauté forme une confrérie et honore un saint, patron et protecteur. Dans la plupart des actes publics ou privés, on invoque l'aide de la sainte Trinité ou de la Divine Providence. Tout, dans la vie française, même quotidienne, porte une profonde empreinte catholique : pratiques privées, offices carillonnés, *ex-voto*, processions, fêtes chômées ; de même dans l'Etat, le roi, fils de saint Louis, est lié, à son sacre, par le serment et les onctions saintes. Imprégnation de la société par la religion et association étroite de l'Eglise et de l'Etat, mais subordination de celle-là à celui-ci depuis le Concordat de 1516, avec tous les caractères « gallicans » de l'Eglise de France, soumise spirituellement et dogmatiquement à Rome, mais temporellement et disciplinairement au roi, dans un partage toujours contesté et débattu ;

2º L'Ancien Régime est aussi un régime politique : une *Monarchie* dont la nature est de *droit divin* et dont le régime ou l'exercice est de tendre et de prétendre à *l'absolutisme* personnel et autoritaire. Nature et tendance qui sont lointaines et affirmées durant tout le Moyen Age, mais qui sont de plus en plus codifiées et appliquées, et qui entrent dans les faits et les mœurs comme dans les lois vers la fin du XVe et le début du XVIe siècle. On fait ici commencer l'Ancien Régime conventionnel, et Georges Pagès après bien d'autres, dans sa solide et concise *Monarchie d'Ancien Régime*, a pris ce point de départ : le terme d'Ancien Régime englobe classiquement les trois derniers siècles de la Monarchie. Pourquoi ? Il y a bien des raisons à cela. Malgré l'ampleur et l'enracinement de bien des survivances médiévales (juridiques, sociales et mentales), la Renaissance apporte l'empreinte de sa marque « moderne » et affirmée, même si la « modernité » du XVIe siècle n'est pas aussi nette et profonde que le voulait Henri Hauser (1) : La Royauté de François 1er durcit son pouvoir théorique et réel d'emprunts plus ou moins avoués au Code Justinien et au *Prince* de Machiavel qu'officiellement on réprouve en France. Les derniers grands féodaux disparaissent, domptés ou éliminés ; les coutumes juridiques sont rédigées, codifiées ; la langue française devient seule officielle (1539) ; la législation royale tend à étouffer les vieilles autonomies, à unifier, à dégager la notion d'Etat par sa mainmise progressive sur tous les corps et communautés de la Nation, par le développement des services publics (justice, impôts, armée) et son intervention dans l'économie sociale ; enfin la poussée capitaliste, substituant une économie d'échanges à une économie de subsistances, développe le crédit public et privé, et accélère la montée de la bourgeoisie aux dépens de la vieille noblesse terrienne. On a discuté, au Colloque de 1956 sur la Renaissance, s'il y avait eu un « Etat de la Renaissance » (2) : on y a insisté

---

(1) Cf. Le *Colloque sur la Renaissance*, de 1956 : Y a-t-il une économie de la Renaissance ? (édit. Vrin, 1958). Opinions très partagées sur la relative rupture avec le Moyen Age.

(2) Rapport de l'historien italien Federico CHABOD.

sur l'essor du nationalisme des divers Etats européens, quoique Hauser ait sans doute exagéré le patriotisme du temps, et pourtant R. Mousnier cite Galiot de Genouillac disant sa fierté sereine du sacrifice de son fils à son roi et à la *patrie* (mais l'Etat reposait encore plus sur la fidélité au roi que sur un patriotisme collectif et territorial de style moderne) ; on y a insisté sur l'essor de la *raison d'Etat*, fondement de l'ordre public, garanti par un absolutisme renforcé, sans être pour autant un despotisme sans lois (R. Mousnier), et surtout, sur le développement des « corps d'officiers », soutien et « structure » du nouvel Etat à tendances bureaucratiques, légiférantes et centralisatrices, malgré la coexistence des Etats dans l'Etat ; c'est-à-dire des ordres et communautés diverses.

Il y a donc développement d'une Monarchie « absolue » au-dessus d'institutions coutumières dans un corps de structure médiévale où circule déjà un sang « moderne », nourri par une poussée « nationale », étatique, capitaliste, individualiste, utilitaire et « laïque ». La raison d'Etat est une notion d'intérêt public libérée de la conception religieuse des rapports de justice entre rois et fidèles sujets : infusion caractéristique de l'esprit de la Renaissance. Le xvie siècle est donc l'âge de la puberté de l'Ancien Régime français dans ses traits essentiels. Le xviie siècle marquera l'apogée de l'Etat monarchique par sa victoire sur la Nation aboutissant à la fois à un équilibre éphémère entre l'appareil royal et les divers corps sociaux et au règne temporaire de l'arbitrage royal sur l'équilibre instable entre Noblesse et Bourgeoisie, entre la Terre et l'Argent, mais l'Argent achète peu à peu la Terre et la Bourgeoisie pénètre, revigore, rénove la Noblesse au profit de l'Etat monarchique. Le xviiie siècle sera l'âge critique de la rupture de cet équilibre Noblesse-Bourgeoisie avec l'ascension victorieuse de la Bourgeoisie, de son esprit, de ses méthodes économiques et financières, « libérales » en face du déclin, mais aussi de la défense acharnée de la Noblesse privilégiée. Le vrai problème est alors celui des antagonismes sociaux, dont le problème politique ministériel, le plus spectaculaire, n'est qu'un écho. Si Louis XV voulut passagèrement arbitrer le conflit, par des concessions au libéralisme utilitaire et à l'individualisme égalitaire des penseurs bourgeois, Louis XVI le *désavoua* (P. Gaxotte) en agissant non plus en arbitre, mais en partisan, défenseur résolu des deux premiers Ordres, en devenant dès son avènement (par le rappel des Parlements) le roi des privilégiés, c'est-à-dire d'environ 500 000 Français sur 25 millions : dans le grand conflit du siècle entre les Ordres, il a engagé à fond sa couronne, d'où le problème constitutionnel en 1789 à côté des problèmes sociaux, fiscaux ou budgétaires (1).

(1) Sur l'ensemble du sujet, v. Jacques ELLUL, *Hist. des institutions*, t. II (Coll. « Thémis », Presses Universitaires de France, 1956), avec riche bibliographie, Jean TOUCHARD et collab., *Hist. des idées politiques*, t. I et II (ibid., 1959) ; les manuels d'*Histoire du Droit* de CHÉNON, de DECLAREUIL ou d'Olivier MARTIN, avec le *Dictionnaire des institutions* de M. MARION, V. enfin, de Robert MANDROU, la riche *Introduction à la France moderne, essai de psychologie historique, 1500-1640* (Coll. H. Berr, l'Evolution de l'Humanité, éd. Albin Michel, 1961).

CHAPITRE PREMIER

LA STRUCTURE ÉCONOMIQUE ET SOCIALE DU XVIe SIÈCLE FRANÇAIS

I. — L'économie du XVIe siècle : faits et doctrines

La conjoncture économique du XVIe siècle est marquée par une *hausse de longue durée*, une phase A selon la terminologie de F. Simiand, l'initiateur à la science du mouvement des prix et de leurs rapports avec les rythmes de la vie économique (1932). Si ce « long XVIe siècle » est une phase d'expansion quantitative, monétaire et spatiale (env. 1480-env. 1640), s'il y a renaissance économique, y a-t-il une « économie de la Renaissance » ? Question toujours débattue (1). Si pour certains (H. Hauser, R. Mousnier, E. Labrousse, R. Tawney), il y a essor et rupture avec le Moyen Age, il subsiste pour d'autres spécialistes (L. Febvre, Nef, Mollat, Verlinden, Lapeyre, H. et P. Chaunu, de Roover, etc.) « beaucoup de médiévalité » dans les méthodes, les idées et les techniques de la finance même, de l'industrie et surtout de l'agriculture,

(1) V. les rapports du Congrès intern. des Sc. hist., Rome, 1955 (*Relazioni*, IV, 1956), et du *Colloque sur la Renaissance*, de juin 1956 (édit. Vrin, 1958), avec bibliographie. J. DELUMEAU, *Civilisation de la Renaissance* (Arthaud, 1967) et son art. de la *R.H.M.C.* (juill. 1967).

malgré les nouveautés et progrès dans l'art nauti-
que, l'imprimerie, les mines ou la métallurgie, malgré le dynamisme conquérant des grands marchands-banquiers (1). Le rôle joué par l'afflux des
métaux précieux hispano-américains sur la hausse
des prix mondiaux reste au centre du débat (2).
Il en ressort que le XVIᵉ siècle a connu bien des diver-
sités régionales et des *conjonctures locales*, le mouvement séculaire de hausse débutant plus ou moins
tôt, n'affectant pas les mêmes courbes intercycliques de fluctuations courtes selon les pays. Il est
encore mal connu dans les détails. Il reste que la
cause essentielle de la hausse générale des prix, à
côté d'autres, est bien l'inflation métallique monétaire, comme l'avait vu Jean Bodin dans sa *Responce
à M. de Malestroit*, en 1568 (éd. Hauser, 1932).

La France (3) s'inscrit dans ce mouvement de
hausse et d'expansion qui commence au dernier
tiers du XVᵉ siècle après les grandes guerres par une
vraie colonisation intérieure des régions dévastées,
et le progrès démographique et économique est
attesté par l'admiration de Seyssel (*Louanges du
Roy Loys XIIᵉ*, 1508), avant l'analyse de l'essor
de la production, du trafic, de la circulation monétaire et des prix par Dumoulin, Malestroit, Bodin
ou Guichardin. Cette prospérité ascensionnelle,

---

(1) V. surtout le tableau riche et coloré de P. JEANNIN, *Les
marchands au XVIᵉ siècle* (Ed. du Seuil).
(2) H. HAUSER, *Les débuts du capitalisme* (1931) ; les travaux de
F. BRAUDEL et F. SPOONER (*Relazioni*, IV, du Congrès de Rome,
1955). V. l'art. de COORNAERT, Le capitalisme au XVIᵉ siècle, in
Monde nouveau (juin 1956), et de nombreux art. in *Annales E.S.C.*,
depuis 1950 par BRAUDEL, LAPEYRE, CIPOLLA, A. CHABERT, VER-
LINDEN, SAPORI, JEANNIN, etc.
(3) Outre les divers travaux de H. HAUSER et l'*Hist. écon. de
la France* d'H. SÉE et R. SCHNERB, v. la synthèse de R. MOUSNIER,
Les XVIᵉ et XVIIᵉ siècles, Coll. Crouzet, Presses Universitaires de
France, 1954 ; et les art. de DOUCET, La richesse de la France
au XVIᵉ siècle (*R.H. Mod.*, 1939) et MONNIER, La crise économique
en France au XVIᵉ siècle (*Ann. H.E.S.*, 1948).

coupée de crises multiples mal connues, les unes surtout économiques (dues aux intempéries, aux « mortalités », aux « dégâts » des guerres civiles), les autres surtout financières, comme la grande banqueroute européenne de 1557-1559, connaît donc un rythme « haletant » très médiéval encore, une « atmosphère quasi permanente de crise et de banqueroute » (Braudel et Spooner). Dans ces fluctuations en dents de scie, comme dans les inter-cycles de large dépression (autour de 1575-1585), il est très difficile de démêler ce qui est dû aux crises de subsistances ou aux causes monétaires. Quant aux résultats, il est prouvé que, malgré les troubles, la balance commerciale française est devenue excédentaire, d'après les études sur de grandes firmes, sur des places de commerce ou sur les douanes : sur Lyon (R. Doucet, 1939), Rouen (M. Mollat, 1952), et Nantes (J. Tanguy, 1956). La Rochelle (Delafosse et Trocmé, 1952), Marseille (R. Collier et J. Billioud, t. III, 1951), le Sund (P. Jeannin, *Ann. E.S.C.*, 1954, 23-44), Séville (H. et P. Chaunu, 1956), Livourne (Braudel et Romano, 1951). Mais si l'on peut mesurer les échanges, c'est une gageure de vouloir mesurer la production, car si l'époque n'est pas « imperméable à la valeur du chiffre », comme on l'a dit, elle sait mal compter, avec les incommodes chiffres romains, et bien des documents, même financiers, donnent des opérations fausses (R. Doucet). Voyons le bilan :

a) *La monnaie* (1). — En France, pays fournisseur de l'Espagne, l'afflux des métaux précieux a varié dans sa nature

---

(1) V. les deux art. de SZLECHTER in *R. Hist. Droit*, 1951 et 1952 : La Monnaie en France au XVIᵉ siècle. Et le suggestif F. SPOONER, *Les frappes monétaires en France et l'économie mondiale* (1490-1680), 1956.

et dans sa masse. Vers 1530, il y a 6 fois plus d'argent que d'or,
mais comme il est venu de l'or en abondance dans les débuts
de la conquête américaine, l'argent surévalué est recherché
par les spéculateurs qui en offrent en *monnaie de compte*
(livres et sols tournois) un prix supérieur au taux légal des
édits : la livre tournois perd donc de sa valeur par rapport
au poids du métal précieux que la monnaie contient. Après
1545 (découverte des mines du Potosi), c'est l'inverse : devant
l'afflux d'argent (vers 1590, l'arrivage d'argent représenterait
197 fois celui de l'or), l'or surévalué fait prime. Donc, même
phénomène inversé : on recherche l'or, pour l'exporter ou le
fondre, en le payant plus cher que sa valeur légale en livres,
sols, et deniers tournois. Il y a dépréciation commerciale de la
monnaie de compte française, du fait des spéculations sur la
livre à la faveur des variations de prix de l'or et de l'argent,
ce qu'ont bien compris les officiers de la Cour des Monnaies et
les maîtres de la Chambre des Comptes. La dévaluation de la
livre a amené l'invasion de mauvaises monnaies étrangères,
par le poids et le titre « billonné », et la fuite des bonnes
monnaies françaises, les beaux écus d'or « au soleil »
(Charles VIII), au « porc-épic » (Louis XII), à la « salamandre »
(François Ier), à la « croisette » et au « croissant » (Henri II)
et les « testons » d'argent de Louis XII et François Ier. Sous
Henri III, les subventions de Philippe II à la Ligue des Guises
provoqueront un nouvel afflux d'argent espagnol. Cette
inflation monétaire diminue vers 1600 le pouvoir d'achat de
l'argent env. des 4/5 par rapport à 1500, ce qui fait que les
prix ont à peu près quadruplé en un siècle : il faut à la fois,
par la multiplication des moyens de paiement, bien plus d'écus
en argent avili et de livres dévaluées en monnaie de compte
pour payer une même marchandise.

b) *Les prix*. — La hausse des prix vient donc du malaise
monétaire dû à deux causes : l'abondance d'or et d'argent
(démontrée par Bodin) et la dévaluation de la livre tournois
(accusée par Malestroit). Comme les rapports de change
ont varié à l'infini selon les moments et les régions, il y a bien
des nuances de pays à pays. On observe que la Bourgogne et le
Sud-Ouest ont souvent regorgé d'or et d'argent (contact de
pays espagnols ?) comme Lyon, place bancaire et carrefour
commercial. L'essor du crédit dans les villes d'affaires est aussi
une cause de hausse, ainsi que les investissements de capitaux,
les besoins accrus de consommation par la poussée démographique, l'accroissement du luxe courtisan, nobiliaire et bourgeois, la demande croissante en soldats mercenaires. Enfin les
guerres civiles de la seconde moitié du siècle ravagent, dépeu-

plent, ralentissent la production agricole et artisanale, d'où hausse par la disette. Il y eut des accès de poussée fiévreuse, comme les 14 années du règne de Charles IX qui stupéfièrent et alarmèrent les contemporains : les tarifs des auberges et hôtelleries quintuplèrent alors. On estime qu'au cours du siècle et en moyenne générale, le prix de la viande a doublé, la terre a triplé, le blé a quintuplé.

Mais ce rythme « haletant » sera jusqu'au bout caractéristique de l'Ancien Régime, provoqué bien moins par la structure même du régime que par les accidents climatiques, les grandes « mortalités », et les poussées natalitaires. Autrement dit : le rythme agricole des subsistances avait bien plus d'importance que les conditions et incidences commerciales ou financières dans la vie générale du pays, mais il y eut pourtant, et dès Louis XI, l'intervention progressive de l'Etat dans la vie économique par souci tutélaire du pouvoir royal.

Le bilan offre un passif : la hausse ruine les revenus plus ou moins fixes, ceux des seigneurs ruraux (les cens perpétuels) et des rentiers du sol, des créanciers et de la masse des salariés, mais à l'actif, l'inflation gonfle les capitaux mobiliers, stimule la demande, les investissements et la production, encourage l'essor commercial, industriel et urbain.

c) *Conséquences politico-sociales.* — D'abord l'*Etat intervient* de plus en plus : en *matière économique*, la Royauté cherche à favoriser le commerce en développant les juridictions commerciales, en luttant contre la diversité des poids et mesures (édits de 1540 et de 1558), en facilitant la circulation routière (ponts et chaussées confiés aux Trésoriers de France) et fluviale (destruction des barrages, moulins, etc., et restriction des péages). Elle pratique une *politique frumentaire* variable : tantôt le roi impose la vente des grains au marché local (édit de 1532) pour éviter stockage et spéculation, et empêcher les « bleds », en s'évadant, de provoquer des famines en pays producteur ; tantôt le roi, en temps d'abondance, autorise la circulation et même l'exportation (édit de 1559). L'Espagne famélique est toujours acheteuse de blés français, même en fraude, ce qui fait encore entrer de l'argent. Le *nationalisme économique* s'affirme par un *protectionnisme grandissant* marqué par une politique douanière toujours plus exigeante : on interdit d'exporter les « denrées crues » (J. Bodin), les matières premières de France, et d'importer des « ouvrages de main », produits manufacturés étrangers, ce qui ferait sortir de l'argent français. Ce souci protecteur et national de la royauté est partagé par les vœux des Etats généraux de Blois, en 1576. Cette politique douanière est d'ailleurs hybride, mal définie,

malgré l'effort systématisateur de l'édit d'Henri III, de 1581,
il est difficile de distinguer ce qui est souci fiscal (prélever
des taxes) et souci protectionniste, car on taxe à l'entrée les
produits de luxe (épices, soieries, fourrures) et l'on taxe à la
sortie des produits français rémunérateurs (blés, vins, toiles,
pastel) qui sont frappés des droits de « rêve » et de « haut
passage » : ces taxes à l'exportation semblent relever de l'idée
primitive d'un appauvrissement domanial par la sortie des
denrées. Ce vieux sentiment hantera toujours, jusqu'à la
Révolution incluse, les pouvoirs provinciaux et locaux qui
répugneront, et parfois contre les édits royaux, à laisser cir-
culer et sortir les denrées indigènes, surtout alimentaires :
la peur d'une disette reste endémique.

En *matière monétaire*, la royauté cherche à lutter contre
le désordre et la spéculation sur les changes : la succession
des édits d'Henri II (1549, 5 juin 1551, 8 avril 1554, 27 juillet 1555) prouve leur inefficacité, autant que l'inquiétude
gouvernementale devant la fuite des monnaies françaises et
les abus des orfèvres, changeurs et fondeurs, mais on frappe en
vain de « décri » les mauvaises monnaies étrangères. Comme
aucun chiffre n'est alors inscrit sur les pièces, on peut les négocier en leur donnant une valeur arbitraire en livres tournois : les
spéculateurs, après avoir acheté des monnaies françaises de
bon « aloi » contre des pièces étrangères de plus faibles titre
et poids, revendent aux sujets du roi la bonne monnaie légale
avec laquelle ils pourront payer leurs impôts. Après de longues discussions théoriques sur la crise monétaire et la hausse
des prix, dont la controverse Bodin-Malestroit (1566-1568) et
les débats aux Etats Généraux de 1560 et 1576 reflètent
l'effet d'angoisse dans les milieux dirigeants, Henri III et le
chancelier de Birague entreprirent par l'*édit de 1577*, un essai
de stabilisation, en supprimant la monnaie de compte (la
livre) et en imposant comme unité de compte l'*écu*, dont on
fixa la valeur à 3 livres, ce qui équivalait à établir un mono-
métallisme-or. Effet durable pendant env. 16 ans, mais avec
les guerres civiles et l'afflux d'argent espagnol, l'inflation
reprit vers 1592, et l'écu d'or monta jusqu'à 8 livres. Henri IV
pouvait chasser l'Espagnol, mais non les monnaies d'Espagne...
et l'édit de 1602 rétablit le compte par livres et le bimétallisme
officiel : le gouvernement continuera longtemps à fixer le
cours officiel des espèces en livres, sols et deniers, le haussant,
s'il est débiteur, pour en verser moins, l'abaissant, s'il attend
des rentrées pour en recevoir plus (mutations monétaires).

II. — Les structures sociales devant l'économie

La *démographie* du XVIᵉ siècle est très mal connue : pas de recensements, quelques évaluations locales. La tenue des registres paroissiaux imposée aux curés par l'ordonnance de Villers-Cotterêts (1539) laissa longtemps à désirer, et il faut tenir compte de tout ce qui leur échappera : la masse des vagabonds et nomades, et bientôt toute la dissidence protestante. Les calculs de R. Mousnier arrivent à une estimation approximative de 18 à 19 millions de Français dans les frontières de 1559, soit une densité kilométrique d'environ 40 (quand Elisabeth régnait sur environ 3 500 000 Anglais). Une estimation officielle de 1549 attribue à Paris environ 150 000 habitants et le « dénombrement » lors du siège de 1590, par Henri IV, trouve à peu près 200 000 Parisiens. Mais nous discernons mal le mouvement de cette population, les grandes « mortalités » épidémiques, si fréquentes, ainsi que les brassages internes. On peut néanmoins parler d'un type de démographie « primitive » : une natalité très forte (40 ‰), chaque femme connaissant une douzaine de grossesses en moyenne, parfois vingt (comme la mère des Arnauld jansénistes), mais sans aller jusqu'au légendaire enfant annuel ; et une très forte mortalité, surtout infantile (50 % des enfants mouraient dans leur première année), accrue par les « pestes » périodiques, la sous-alimentation et l'usure rapide par manque d'hygiène : un quadragénaire du XVIᵉ siècle est réputé un vieillard et les sexagénaires sont des exceptions ; chez les paysans et artisans, on dépasse parfois de peu la trentaine.

Cette population, si souvent renouvelée dans sa multiplication rapide, est assez stable dans ses condi-

tions juridiques et économiques, dans ses trois Estats
ou Ordres et dans ses classes sociales : 96 à 97 %
sont des ruraux, seigneurs et paysans.

1. De la chaumière au manoir (1). — La structure juridique de la terre française était à la fois
féodale et seigneuriale. On a souvent confondu
les deux épithètes : déjà la génération de 1789, des
légistes aux paysans, qualifiait de féodalité et de
droits féodaux des contraintes ou redevances,
purement seigneuriales ou domaniales. Aujourd'hui
même, économistes et historiens soviétiques dénomm-
ment « féodal » le régime seigneurial paysan de
l'ancienne France, alors même qu'un régime seigneurial pouvait exister sans féodalité vraie, comme
le prouve l'Ancien Régime russe lui-même.

Le *régime féodal* est fondé sur le *contrat de fief*
unissant deux hommes (le bailleur, dit suzerain,
est toujours un noble), contrat qui entraîne entre
seigneurs suzerains et vassaux des obligations réci-
proques, en vertu de l'adage : « Tu me gardes, je
te sers. » Sans rappeler tous les services mutuels
que le Moyen Age avait créés (droits de guet, de
gîte, de plaid, et aides multiples) et dont beaucoup
étaient désuets, comme le service guerrier, depuis
que la Royauté reprenait en main l'autorité publique, la *fidélité* (serment d'hommage et de foi)

(1) Marc BLOCH, *Caractères originaux de l'Hist. rurale françaises*
(le t. II établi et mis à jour par R. DAUVERGNE, 1956). V. les études
de P. RAVEAU, L'agriculture et les classes rurales en Haut-Poitou
au XVIᵉ siècle (1926) et La situation économique et l'état social en
Poitou au XVIᵉ siècle, in *R.H.E.S.*, 1930 ; Yvonne BÉZARD, *La vie
rurale dans le Sud de la région parisienne de 1450 à 1560* (1932) ;
R. DION, *Essai sur la formation du paysage rural français* (1934),
Hist. de la vigne et du vin en France (1959) ; G. LIZERAND, *Le régime
rural de l'ancienne France* (1942) ; Gaston ROUPNEL, *Hist de la campagne française* (1932) et maintes monographies locales ou provinciales analysées dans les *Annales, E.S.C.* DARTIGUE-PEYROU, *Le
Vicomté de Béarn sous Henri II d'Albret* (1934). Emm. LE ROY-
LADURIE, *Les paysans de Languedoc* (thèse, 1966).

reste un lien puissant dans les « clientèles » aristocratiques à la faveur des guerres civiles et jusques sous
Louis XIII. C'est l'engagement d'honneur du pro-
tégé, le vassal, envers son suzerain qui lui doit
protection et moyens d'existence : en droit féodal,
les partisans du connétable de Bourbon justifient
sa « trahison » par la forfaiture de son suzerain
François Ier qui veut le spolier de certains fiefs.
Mais il y a des fiefs-argent (droit de lever une taxe
ou certaines rentes) et certains seigneurs (sans
terre : le grand-père du maréchal de Villars) n'ont
pour seigneurie que le droit de percevoir des droits
censuels sur des tenanciers. Alors qu'un tenancier
doit des redevances en argent et en nature, un
vassal doit des services personnels, et le régime
féodal ne concerne théoriquement que les rapports
entre nobles : un fief foncier est une terre « noble »,
exempte de tailles, etc. Tout seigneur de fief doit
comme vassal à son suzerain, en cas de vente et de
mutation du fief, les droits de *quint* et de *requint*
(en fait 1/15 du prix environ), en cas de mariage
ou de succession, les droits de *relief* ou de *rachat*
(sorte de taxe successorale). L'hommage et foi
consiste maintenant en un serment enregistré sur
acte de notaire : l'ancien cérémonial entre les mains
du suzerain tombe en désuétude, mais il y a encore
des cas d'accolade ou d'agenouillement devant le
portail du manoir suzerain avec baiser sur la ser-
rure, etc. L'hommage rendu au roi par les nombreux
vassaux directs de la Couronne se fait au Chancelier
pour les grands fiefs, et pour les petits à la Chambre
des Comptes et à la Cour des Aides (où l'on enregistre
l'exemption fiscale) ainsi que les « aveux et dénombrements », actes de reconnaissance par le vassal
des terres relevant de tel suzerain, donc précieux
documents « terriers ».

Dès le XVIe siècle, bien des fiefs sont acquis par des bourgeois qui, tout en faisant un bon placement, espèrent ainsi se glisser dans la noblesse, mais l'acquéreur roturier doit alors payer au roi un droit dit de *franc-fief*. Et cela souligne bien la distinction entre nature féodale et nature seigneuriale : l'acquéreur bourgeois d'un fief devient bien un seigneur, et qui exerce pleinement ses droits seigneuriaux, mais n'en devient pas pour autant un noble (bien que dans la pratique, surtout à la 2e génération, il arrive souvent par influence à se faire considérer comme tel, mais noblesse factice et frauduleuse s'il n'acquiert pas du roi de charge anoblissante ou des lettres de noblesse) (1). La noblesse n'est pas une caste fermée, mais une classe ouverte, comme le souligne Claude de Seyssel, l'ami de Louis XII, qui, quoique juriste, dégage moins les trois Ordres juridiques que les classes économiques et sociologiques mouvantes (en continuelle ascension ou déchéance d'individus) et fondées sur l'aisance et la propriété privée. D'autre part, il n'y a pas au XVIe siècle de hiérarchie nobiliaire : il n'y a de distinction que par la richesse domaniale.

La noblesse titrée (et la masse nobiliaire est formée d'*écuyers* sans autre titre) n'aura de hiérarchie (d'ailleurs mondaine et coutumière et non légale) qu'au XVIIIe siècle : seuls, sous les princes du sang royal, les ducs, et surtout les *ducs et pairs* (2) (par érection royale, et dotés de privilèges spéciaux) étaient au-dessus de la masse nobiliaire dont les titres divers (comtes, marquis, etc.) importaient peu, socialement ou politiquement.

---

(1) V. l'excellent J. R. BLOCH, *L'anoblissement en France au temps de François Ier* (1934) et la mise au point de Ph. DU PUY DE CLINCHAMPS, *La Noblesse* (« Que sais-je ? », Presses Universitaires de France, 1959).
(2) R. de WARREN, *Les Pairs de France sous l'Ancien régime.*

L'*allodialité*, véritable anomalie, existe toujours, hors de la féodalité. L'*alleu* est une terre, noble ou roturière, franche de toute charge ou servitude, féodale ou seigneuriale, une pleine propriété quiritaire, réputée souveraine au Moyen Age (Yvetot, ou Boisbelle-Henrichemont en Berry, ou Bidache-Grammont en Gascogne). L'alleu est proscrit en Bretagne, en Boulonnais, en Blésois, etc., par le strict principe : « Nulle terre sans seigneur » ; il est admis implicitement ou explicitement par la plupart des coutumes provinciales avec la restriction : « Nul alleu sans titre » (preuve écrite) ; il est régulier en Bourgogne et dans tout le Midi de droit romain selon l'adage renversé : « Nul seigneur sans titre. » Dans le Sud-Ouest, 1/10 des terres cultivées de Bordelais et du Bazadais sont des alleux (R. Boutruche, thèse 1947). L'alleutier peut librement inféoder ou accenser ou affermer tout ou partie de ses terres. Au XVIe siècle l'alleu est en progrès partout, faute de titres seigneuriaux et par usurpations ou oublis après les dévastations des guerres : bien des paysans censitaires s'affranchissent de toute redevance, d'où nombreux procès. L'allodialité de fait est alléguée dans des milliers de minutes notariales d'actes de vente où l'on déclare ne plus savoir à qui telle parcelle doit des droits ou services (cf. Richard Gascon, *Le commerce dans la région lyonnaise...*). L'alleu reculera au XVIIe siècle sous l'action conjuguée des seigneurs hauts-justiciers (exemple : Provence, Bourgogne) et des officiers et commissaires royaux qui imposent reconnaissance de la « *Directe* » *royale universelle* sur toute terre française. Mais bien des alleux dureront jusqu'en 1789 en Bordelais, en Périgord, en Languedoc, en Nivernais, etc.

Et le *régime seigneurial* ? Chaque fief (ou alleu) forme en général une *seigneurie*, cellule structurale juridique de l'ancienne France (elle peut être titrée ou non), comme la *paroisse* est la cellule religieuse, et la *communauté d'habitants* la cellule sociale d'un groupement de « feux ». La seigneurie comprend ordinairement des bois, landes et pâquis, « terres vagues et vaines » (formant des biens tantôt seigneuriaux, tantôt communaux), des terres arables, des vignes et vergers en exploitations rurales de types régionaux variés, fermes et métairies, closeries, bordes et borderies, mas, etc., plus ou moins groupés en villages ou hameaux, et parfois des portions de villages ou de paroisses. Souvent un village relève de deux ou plusieurs seigneurs (ventes ou partages, etc.). C'est qu'il y a deux types seigneuriaux : les *seigneurs censiers*, percevant seulement de simples *cens*, rente modique et symbolique annuelle et purement « recognitive de seigneurie » (cens perpétuel et dévalué depuis des siècles) : telle paroisse, ou tel tenancier, pour ses diverses parcelles, devait ainsi des cens à plusieurs censiers, tel seigneur ayant dans sa censive une ou deux maisons ou « héritages » dans tel bourg ou village ; les *seigneurs banniers* qui, outre leurs revenus « censuels » et autres rentes sur les terres roturières de leur « mouvance », possèdent le *droit de ban*, c'est-à-dire, une certaine autorité publique, un droit de police générale d'ordre local, souvent sur les finages de plusieurs fiefs et seigneuries, et parfois de nombreuses paroisses, droit reconnu et conservé par le roi, mais contrôlé et limité par ses officiers.

Les droits seigneuriaux sont les uns *personnels* et *honorifiques*, les autres « utiles » (sources de revenus). Outre ses privilèges à l'église (droits de banc, de litre, d'enfeu ou sépulture, etc.), le seigneur jouit de nombreux *monopoles* : les droits de chasse et de pêche, le droit de colombier, des péages, des corvées et charrois, le droit de banvin (priorité de vente du vin seigneurial avant celui de ses vassaux), les bans de fauchaison, de moisson et de vendange (droit seigneurial de fixer les dates de ces opérations, issu du vieux droit domanial de police économique) ; le droit de marché (avec droit de création, de taxation, de police, et de perception de redevances dites « coutumes ») ; les *banalités* enfin, avec le moulin banal (parfois le four à pain et le pressoir banal) sur l'usage duquel le seigneur perçoit un droit en nature, parfois le 1/15 de la production, mais de plus en plus les moulins sont accensés ou affermés par les seigneurs, d'où prélèvements abusifs et actes frauduleux (mélange plâtre-farine) des meuniers-fermiers et leur improbité légendaire autrefois. Enfin, les *droits de justice* et tous les profits, matériels, moraux et sociaux qui en découlent : il y a basse, moyenne ou haute justice, selon l'étendue de la compétence judiciaire du seigneur (et aussi de son ressort bannier (1). Le bas-justicier n'a juridiction que sur de petits délits ou litiges avec droit d'amende (profit seigneurial). Le haut-justicier est fier de ses fourches patibulaires (lieuxdits « la Justice »), de son pilori, de sa geôle et de ses carcans, de son tribunal et de ses juges seigneuriaux, car il lui faut des praticiens avec un tabellionnage et un greffe pour établir, délivrer et conserver les actes authentiques. Chaque seigneur haut-justicier a tout un personnel judiciaire : une grande seigneurie terrienne comme l'abbaye de Saint-Denis a, dans chacune de ses châtellenies un bailli, un lieutenant, un procureur fiscal, un greffier. Certains seigneurs moins importants n'ont qu'un bailli et un procureur fiscal, mais ces petits officiers seigneuriaux pullulent dans le royaume et le paysan les connaît mieux et de plus près que les officiers du roi : dans les procès qui l'opposent à ses justiciables, le seigneur est juge et partie.

Juridiquement, l'appareil seigneurial dans l'ensemble reste intact et puissant, plus ou moins pesant d'ailleurs selon les provinces (2).

Quel est le *schéma d'une seigneurie* ? Trois parties juridiques aux proportions variables : le *domaine « proche »* ou réserve seigneuriale (dans le Midi, la condamine : *cum domino*), la *« mouvance »* (ou *« censive »*, ou *« directe »* seigneuriale), terres possédées et exploitées par les tenanciers du seigneur, (ou *« vassaux »*, terme abusif car réservé aux seigneurs de fiefs) et les biens *communaux* (bois, landes, guérets, étangs, pâquis) avec droits d'usage collectif.

1) Le seigneur se réservait autour de son manoir une zone exploitée par un personnel domestique par des corvées parfois encore, mais en grande partie par des fermiers ou des métayers jouissant de baux de types variés : de longue durée encore vers 1550, les bailleurs les abrégeront peu à peu au type 3-6-9 pour les renouveler en suivant la hausse.

---

(1) Le grignotage royal est analysé par LEMERCIER, *Les justices seigneuriales de la région parisienne (1580-1789)*, 1932.
(2) Un exemple : RAMIÈRE DE FORTANIER, *Les droits seigneuriaux dans la sénéchaussée et comté de Lauraguais (1553-1789)*, 1932.

Le *fermier*, de plus en plus fréquent dans les grandes plaines parisiennes, en Picardie et Normandie, paie un fermage en *argent* (environ 6 % du prix de la terre) avec quelques redevances en nature, une somme fixe : c'est parfois un vrai petit capitaliste, un « laboureur », ayant valets, servantes et attelage de chevaux, prenant souvent à ferme la levée des droits seigneuriaux sur les tenanciers, ou en bail à cens l'exploitation de moulins, de carrières, de tuileries, de forges à ferrer les chevaux, de routoirs à chanvre, etc. Ces paysans aisés ont souvent des entreprises d'artisanat rural, et sont pris dans l'engrenage d'une économie d'échanges de type pré-capitaliste (vente de grains, de vins, de toiles, de laine brute, d'outils, etc.).

Le *métayer*, bien plus répandu, est le type normal d'exploitant domanial dans tout l'Ouest et une grande partie du Midi. Le bail de métayage est un contrat d'association entre un seigneur et un cultivateur auquel il fournit un capital (bétail, semences, charrue...), contre quoi l'exploitant doit partager avec le bailleur les produits de culture et d'élevage généralement *à mi-fruits* : la masse des métayers est formée de paysans pauvres devant, bon an mal an, la moitié des récoltes, donc vulnérables aux accidents climatiques. La métairie est le plus souvent une petite exploitation, assurant à peine la subsistance de l'exploitant, alors que le seigneur est à peu près assuré de revenus en nature par le cumul de plusieurs métairies ;

2) Le seigneur a concédé la plus grande part des terres domaniales (parfois même le tout mais on en a vu souvent grâce aux crises ou aux dévastations en réincorporer à leur domaine « proche » si les tenanciers ont disparu par mort ou « déguerpissement », c'est-à-dire abondon volontaire) à des

tenanciers moyennant certaines prestations en argent et en nature, aux moyens de baux de types très variés selon les régions. Ces amodiations de terres arables ont toujours eu pour but le défrichement et la colonisation. Elles ont abouti à un vrai démembrement de la propriété : juristes et feudistes ont fixé la théorie du *double domaine*, le domaine « éminent », ou seigneurie « directe », et le domaine « utile » (il n'y a pas avant la Révolution de pleine et totale propriété, sauf l'alleu... et la couronne de France). L'ensemble des tenures, quel que soit le type de bail, forme la *mouvance* de la seigneurie. Le seigneur conserve, disait-on, sa *directe seigneuriale* sur ses censives, une propriété éminente, quasi symbolique, marquée par la perception du *cens* en argent, « recognitif de seigneurie », fixé à perpétuité, quelques sols et deniers, taux ridicule par la dépréciation monétaire depuis l'accensement médiéval : en Ile-de-France, et même ailleurs, le cens ne représente que 0,2 à 0,6 % du revenu du sol. Il est vrai que le seigneur perçoit quelques redevances, comme les *lods et ventes*, si le tenancier aliène sa censive, une somme pouvant varier de 3 à 8 % du prix de vente, et qu'il peut parfois user du droit de « retrait » par priorité de rachat sur tout acquéreur. Mais on peut presque dire que le régime seigneurial économiquement s'effondre, s'il reste intact juridiquement et socialement.

Nombreuses variantes locales à côté du bail à cens : le bail à *champart*, en nature, tantôt léger (1/20 des récoltes en Dauphiné), tantôt lourd (1/5 en Lyonnais et en Poitou, etc.) d'autant qu'il s'ajoute aux dîmes. On l'appelle *terrage* en Poitou, *tasque* en Provence et Dauphiné, *agrier* ou *agrière* en Limousin et Quercy, *parcière* en Bourbonnais, etc. Le bail à *complant* est l'équivalent des pays de vignobles : le sol reste dans la directe seigneuriale, mais la vigne est à l'exploitant, qui doit parfois 1/4 de sa récolte. Champart et complant sont plus lucratifs que le cens pour le seigneur : de même le *bail à rente seigneuriale*, aliénation définitive de la tenure par le seigneur qui a reçu un prix de vente, plus une rente perpétuelle complémentaire, pour ses héritiers. On se plaindra fort aux XVIIᵉ et XVIIIᵉ siècles des terres ou immeubles grevés de rentes « féodales ». L'*emphytéose* du Midi est aussi un bail perpétuel : c'est un bail à cens si le bailleur est seigneur de fief, ou un simple bail à rente si le bailleur est un roturier tenancier d'une censive, puisque le tenancier peut disposer de tout le domaine « utile » et aliéner sa terre (1). Le *bourgage* normand concède aussi au tenancier un large droit de propriété, mais les tenures en *motte* ou en *quevaise* (Bretagne) étaient des vestiges de la servitude d'héritage, où les tenanciers étaient lourdement liés au seigneur (corvées, champart à la 7ᵉ gerbe) et motoyers et quevaisiers étaient de vrais mainmortables, ne pouvant aliéner ni léguer leur terre. Le bail à *locatairie perpétuelle* du Languedoc conservait au bailleur la propriété (ou la seigneurie directe) et ne laissait que l'usufruit au preneur (libre toutefois de « déguerpir ») : c'est la différence avec l'emphytéose ou les baux à cens et à rente, où le preneur peut vendre ou louer. En Bretagne, le bail à *convenant* ou *domaine congéable* est une location d'un fonds (contre rente en argent et en nature), mais précaire et le seigneur donnant congé doit rembourser les constructions et améliorations apportées. Ailleurs enfin, des tenures assez lourdes astreignaient le paysan à des prestations périodiques et casuelles : la *taille réelle* en Bourgogne, Bourbonnais, Auxerrois, Champagne (autour de Troyes et de Meaux), la *mainmorte* de la Marche et de la Combraille, le *bordelage* du Nivernais, dont les redevances tripartites (argent, blé et volailles) s'ajoutaient aux corvées et à diverses restrictions seigneuriales en cas d'héritage ou d'aliénation : analogie de la mainmorte *réelle* avec la quevaise bretonne.

Le *censitaire* (ou champartier, ou emphytéote) est en fait un petit propriétaire libre, possédant la seigneurie « utile » de sa terre, pouvant même aliéner, engager à bail, diviser sa censive ; il peut en arrenter, en louer, en vendre des parcelles, ou le tout. L'accensement étant perpétuel, le censitaire

(1) Au nord, surtout en pays picard, des pratiques illégales deviendront contumières : le *droit de marché* et le *mauvais gré*, occupation perpétuelle abusive d'une terre baillée à ferme. Les tentatives de dépointement (éviction) par les bailleurs donneront lieu à de fréquents crimes agraires, jusqu'en 1789, dans ces régions.

ne peut être évincé, mais la censive doit le cens
à perpétuité, quel qu'en soit le détenteur. Il a donc
toute la propriété « utile » contre redevances (cens,
champart, banalités, dîmes, etc.), quelques servitudes
personnelles ou corvées telles que charrois de bois
(réduites à 2 ou 3 jours en Ile-de-France, parfois plus
lourdes ailleurs) ;

3) *Les transformations du régime immobilier.* —
Dans la 2e moitié du xve siècle les besoins de la
Reconstruction multiplièrent les concessions terriennes de longue durée, viagères ou même à
2 ou 3 générations, type de bail à rente tendant à
se confondre avec l'emphytéose méridionale. Mais
au cours du xvie siècle (1), la hausse générale
des prix révèle au descendant du bailleur les inconvénients de sa rigidité économique. Au contraire,
le titulaire du bail viager pouvait facilement se
transformer à son tour en rentier en sous-louant son
immeuble ou sa terre à court terme en suivant la
hausse des prix. Cette hausse ne profitait donc nullement au vrai « propriétaire » du fonds, et par
suite les locations de courte durée vont de nouveau
entrer dans les mœurs. Mais ces baux à vie, dont
certains subsisteront jusqu'au xviiie siècle dans
l'Auxerrois, par exemple, sont-ils de vrais instruments de crédit par l'intérêt rapporté (selon
B. Schnapper) ? Ou de simples procédés de mises
en exploitation (selon R. Mousnier) ? Comme
l'Eglise condamne formellement le prêt à intérêt,
qualifié *usura* (en vertu de l'adage *Pecunia pecuniam
non parit* : l'argent ne fait pas de petits), la rente
est-elle licite ou non ?

(1) B. SCHNAPPER, *Les rentes au XVIe siècle* (S.E.V.P.E.N., 1957),
et Les Baux à vie au xvie siècle (*Bull. Soc. H.M.C.*, n° 1, 1958).
J. JACQUART, Propriété et exploitation rurale au Sud de Paris
dans la 2e moitié du xvie siècle (*Bull. S. H. Mod.*, n° 1, 1961).

Il y a au xvie siècle deux sortes de rentes : la *rente à bail d'héritage* (un « héritage » est un bien foncier), et les *rentes constituées à prix d'argent*. Le bail d'héritage est la cession de la jouissance d'une exploitation rurale à un tiers contre une rente foncière modique et fixe. Ce n'est ni une vente, ni une location, ni un fermage, puisque c'est une aliénation perpétuelle grevée d'une charge perpétuelle. La « rente constituée » est le prêt définitif d'une somme d'argent, et le débiteur *vend* à son créancier « une rente sur un immeuble ». Ce n'est pas un prêt à intérêt, car le débiteur *vend* le droit de percevoir une partie des revenus de l'immeuble : si l'immeuble chargé d'une rente est vendu, l'acquéreur doit à son tour la rente : la rente est donc une obligation *réelle* portant sur l'immeuble, et non une obligation *personnelle* comme le prêt à intérêt. Ces charges foncières sont des opérations à fonds perdus (car le débiteur ne peut être contraint à remboursement) et la coutume française admet la prescription trentenaire pour la rente non rachetée (comme pour le cens non perçu pendant 30 années). Bien des « rentes constituées » sont consenties par des marchands à des « laboureurs » afin d'avoir des liquidités régulières pour leur commerce, tandis que des marchands de grains ou de bestiaux spécifiaient des rentes en nature qu'ils pouvaient ensuite négocier. Des citadins parisiens concédaient ainsi leurs biens fonciers des alentours contre une rente à bail d'héritage, mais au cours du xviie siècle ces bourgeois, au lieu d'aliéner leurs biens, préféreront les affermer à court terme.

Bien des régions ont vu s'amorcer au xvie siècle un *regroupement des terres* en vue d'un meilleur rendement, par exemple le Haut-Poitou (étudié par P. Raveau) et en particulier la Gâtine vendéenne (1), où le paysage agraire évolue peu à peu.

Un exemple-type : le Bas-Poitou, vieux pays de microparcelles, fut reconquis par la noblesse après la guerre de Cent Ans. Rachat des tenures regroupées autour du manoir en grandes métairies, où une seule ferme remplace des hameaux entiers. Par clause du bail on enclôt les parcelles et le paysage agraire est remodelé en substituant le *bocage* à l'*openfield*. Les bordiers endettés ont consenti le rachat, accepté des baux draconiens obligeant les métayers à maintes contraintes personnelles qui en font peu à peu de vrais « prolétaires ruraux ». Le « terrage à mi-fruits » assure au seigneur la moitié de la récolte annuelle *moyenne* même en mauvaise année, bail assoupli à la fin du

---

(1) Dr Louis MERLE, *La métairie et l'évolution agraire de la Gâtine poitevine, de la fin du Moyen Age à la Révolution* (S.E.V.P.E.N., 1958), d'après les chartriers seigneuriaux.

xvie siècle par la moitié des fruits réels. La métairie est moins une forme juridique de propriété qu'un terme usuel désignant une vaste exploitation (de 15 à 60 ha, avec rendement de 12 à 13 hl de seigle à l'hectare) avec charrues à bœufs alors que le travail se fait à bras sur la borderie, petite tenure. Ce système métayer a des effets profonds :

1) Un paysage agraire nouveau, avec clôtures de haies de pommiers et de hêtres, et des étangs convertis en prairies, avec villages ruinés ; les bordiers devenus métayers utilisent les maisons abandonnées comme granges et étables ;

2) La vente des laines et des bestiaux fait entrer la métairie dans le circuit du grand commerce (l'industrie lainière poitevine vend ses draps sur le marché de Lyon) ;

3) La répartition du profit change : le seigneur a fait au métayer des avances « capitalistes » et devient bénéficiaire par ses gros prélèvements, alors que le métayer est écrasé, outre la taille royale, par ses dîmes, cens, rentes et redevances en nature pour ses tenures diverses, plus celles de son bail de terrage ;

4) La vraie propriété, achetée ou vendue chez les notaires, est la métairie, donc un fouillis de tenures. Son nom est noté dans les contrats de vente ou de terrage, alors qu'on trouve les noms des tenures dans les aveux et dénombrements (actes seigneuriaux) : il s'agit pourtant des mêmes terres. On peut conclure qu'on a d'un côté le régime seigneurial de la terre (vieilles parcelles en tenure, d'après les « aveux »), et de l'autre, le recouvrant en plus grandes unités, le régime économique réel du mode d'exploitation : les métairies révélées par les minutes notariales et les plans terriers. On voit même, dès la fin du xvie siècle commencer à s'insinuer entre seigneurs et métayers quelques « fermiers généraux » (souvent des bourgeois prêteurs de fonds) qui seront, en percevant les droits et rentes, les vrais profiteurs du régime, aux dépens des uns et des autres.

Constatons deux faits essentiels du xvie siècle qui s'affirmeront davantage au xviie :

1) Un *fait économique* : si l'armature seigneuriale de la société se maintient, durcie sur certains points, ruinée sur d'autres, il est certain que la France n'est plus enfermée dans le carcan d'une économie domaniale de subsistances, malgré certains cloisonnements coutumiers ou temporaires (inter-

dictions d'exporter, entraves péagères, etc.), mais elle vit normalement d'une *économie d'échanges*, de type déjà capitaliste. Seigneurs et paysans peuvent bien vivre de leurs blés, de leur vin ou de leur cidre, mais il y a avant tout échanges fondés sur l'argent. Il n'y a qu'à noter l'abondance des halles et marchés, les modalités des commerces de grains, de draps et toiles, etc., et même des produits de l'artisanat rural, l'abondance des rentes en argent, des baux de fermage en argent, des salaires en argent, sans compter que l'excédent stocké des champarts, produits métayers, ou dîmes est mis par le seigneur ou décimateur dans le circuit du commerce, donc de l'argent ;

2) Un *fait social* : le rôle de l'endettement, à la source de toute l'évolution : l'*endettement paysan*, dû surtout aux années maigres, facilite le rachat seigneurial. L'*endettement nobiliaire*, dû à la hausse des prix, au goût du luxe, à la vie de cour, pousse et réduit parfois à vendre tout ou partie de la seigneurie. Combien de nobles, disait Noël du Fail en 1560, « portent leurs prés et leurs moulins sur leurs épaules », misère en pourpoints dorés ? Au début du xviie siècle la moitié des biens fonciers du royaume aura changé de mains, note alors François Miron, prévôt des Marchands de Paris. On a pu parler de l'*embourgeoisement du sol*, les citadins enrichis par les affaires ayant racheté les terres des détenteurs du « plat pays » ruinés par les guerres et les dettes : des seigneuries, des alleux, une multitude de censives, d'où le regroupement intensifié des domaines au xviie siècle. *Mais si le sol s'embourgeoise, la bourgeoisie s'anoblit*, légalement ou non. C'est que la noblesse se renouvelle, par hécatombes guerrières ou ruine des lignages, suivant le mécanisme d'un phénomène de *noria sociale*, par ascen-

sion bourgeoise : 5 à 6 générations souvent suffisent à monter de la roture, par l'achat d'offices, puis de fiefs et seigneuries, à la noblesse de robe et à la haute noblesse d'épée, parfois jusqu'au titre ducal, sommet social.

Souvent aussi le cycle des six générations, après l'essor et l'apogée d'une famille, se fermait par la ruine ou l'extinction, et bien des seigneuries voyaient surgir un nouveau lignage : la noblesse française, classe très « ouverte », est alimentée par la « marchandise », la « finance », les « fermes » et surtout les « offices » et la « robe ».

Un exemple-type du temps : en Poitou, 35 « nouveaux » seigneurs de fiefs, en mai 1562, doivent rejoindre l'armée royale pour répondre à l'appel du ban et de l'arrière-ban. Leur protestation révèle qu'ils ne sont nullement gentilshommes, mais avant tout citadins de Poitiers nullement « d'épée » : 3 magistrats du Présidial, 2 conseillers de la Ville, 2 chanoines de la Cathédrale, deux avocats, un médecin, un tanneur, un marchand faisant les foires, etc. Tels sont ces « seigneurs » authentiques, qui devraient pourtant, pour leurs fiefs, obéir au ban royal.

2. De l'échoppe à l'Hôtel de Ville (1). — Les villes, qui garderont leurs murailles jusque vers la fin du XVIIe siècle, n'enferment que 2 à 3 % de la population, mais leur part dans l'économie et l'enrichissement du royaume est déjà hors de proportion. L'organisation du travail, fondée sur toute une

(1) Outre l'*Hist. économique* de Sée et Schnerb (t. I) et les classiques Em. Levasseur sur les *Classes ouvrières*, Martin-Saint-Léon sur les *Corporations de métiers*, H. Hauser sur les *Ouvriers du temps passé* et les *Travailleurs et marchands dans l'ancienne France*, v. surtout E. Coornaert, *La draperie-sayetterie d'Hondschoote, XIVe-XVIIIe siècles* (thèse, 1930), *Les corporations en France avant 1789* (1940) ; *Pouvoirs publics et corporations dans l'ancienne France* (R.H.P.C., 1938) ; R. Doucet, *Lyon au XVIe siècle* (1940) ; les études sur *Le Paris de la Renaissance*, de M. Poëte, de P. Champion, etc., enfin P. Mellotée, *L'Imprimerie au XVIe siècle*, et le riche travail de Paul Chauvet, *Les ouvriers du livre en France, des origines à 1789* (Presses Universitaires de France, 1959).

gamme hiérarchique de valeurs économiques, sociales et juridiques, est reflétée par l'organisation municipale, aux mains d'une oligarchie patronale, de plus en plus héréditaire et contrôlée par le roi.

1) *L'organisation du travail* révèle partout l'emprise capitaliste, mais il faut distinguer structure économique et structure juridique des « corps de marchands » et des « communautés de métiers », ces dernières économiquement subordonnées aux premiers.

a) Economiquement, outre la masse flottante des *chambrelans* (petits façonniers en chambre plus ou moins clandestins), le travail des divers métiers se fait encore surtout en boutique ou petits ateliers, forme traditionnelle de l'artisanat domestique et familial des « gens meschaniques ». Le maître-ouvrier, entouré de quelques compagnons et apprentis, est en fait un salarié dépendant d'un gros entrepreneur et négociant qui lui fournit la matière première avec la commande ; le commerce prime, conditionne, contrôle l'industrie. Un capitalisme à la fois vivifiant et draconien, incarné par quelques familles de *marchands-banquiers* ou *marchands-fabricants* impose sa loi et son rythme de production à une foule de « gagne-deniers », de fileurs, tisseurs, foulons, corroyeurs, ourdisseurs, teinturiers, etc. Cette bourgeoisie d'hommes d'affaires, cumulant les entreprises, associe au trafic de l'argent la production industrielle et la vente commerciale de ses produits, ébauche parfois une « concentration horizontale » en trustant dans une région tous les moulins à foulons, tous les « martinets » métallurgiques ou toutes les teintureries. Elle forme le patriciat urbain de Lyon (les Italiens Guadagni et tant d'autres, ou l'Allemand Cleberger), de Rouen, de Dieppe (l'armateur Jean Ango), de Paris ou de Toulouse (le pastelier Pierre Assézat), tous mécènes et bâtisseurs. Outre la banque, l'armement maritime et le commerce d'exportation, on trouve un capitalisme fortement concentré dans la soierie, dans les mines, les fonderies et forges, et dans l'imprimerie, alors surtout lyonnaise aussi, comme avec le fameux Sébastien Gryphe. Mais on peut dire du XVIe siècle dans l'ensemble : *grands commerçants, petits producteurs* ;

b) Juridiquement, il y a des régimes corporatifs variés, et toujours hiérarchie entre les corps de métiers, comme au sein de chaque métier entre maîtres, compagnons, apprentis. En gros, on distinguait métiers libres et métiers jurés, mais le même métier pouvait être, par exemple libre à Poitiers et juré à Chartres, si bien qu'on parlait de *villes jurées* (type parisien) « ayant droit de communauté en laquelle on entrait par serment » (Loyseau), et des autres (type lyonnais) où l'exercice de tel métier est ouvert à tous, et ces villes de travail libre sont les plus nombreuses au XVIe siècle. Le métier juré élaborait et appliquait lui-même ses règlements, alors que les autres métiers, plutôt « réglés » que libres, recevaient leurs statuts parfois du seigneur local, et surtout de la municipalité, sous contrôle des juges royaux, mais partout les métiers formaient des communautés ayant leurs traditions et privilèges, souvent leurs armoiries, bannières et confréries religieuses. Par les édits de décembre 1581 et d'avril 1597 les rois tentent, d'ailleurs en vain, de généraliser le type parisien, à la fois par un souci invoqué de bonne police et un souci inavoué de fiscalité pour étendre et faciliter la taxation des gens de métier.

Le métier juré a des avantages juridiques pour son corps et pour ses membres, les maîtres-jurés ; c'est une personnalité morale, possédant son sceau, ses deniers communs, des immeubles (de mainmorte, comme les communautés religieuses) pouvant emprunter, ester en justice, etc., et jouissant de prérogatives honorifiques (un rang hiérarchique aux processions, aux « Entrées » en ville des rois, gouverneurs, évêques, les métiers non jurés y assistant en confréries) : les grands métiers parisiens ont le privilège de porter un « ciel » au-dessus du roi dans sa première Entrée à Paris. Enfin ces divers corps jouent le rôle essentiel dans le choix des députés de la ville à l'Assemblée bailliagère en vue des élections aux Etats provinciaux ou généraux et rédigent des cahiers de doléances.

Le métier juré assure la discipline du métier, veille à l'application stricte des règlements de travail et de fabrication par la *visite* faite dans tous les ateliers par les jurés, syndics ou gardes de la *jurande*, ce bureau directeur élu par les maîtres (parfois désigné par l'autorité publique) pouvant saisir la marchandise défectueuse et sanctionner les fraudeurs. C'est donc veiller à la qualité et protéger le consommateur, mais aussi défendre les intérêts du métier contre un métier voisin, aux frontières mal définies, et l'histoire de nos villes est emplie et agitée d'interminables procès, parfois épiques ou pittoresques, entre bouchers et charcutiers, entre tailleurs et fripiers, serruriers et maréchaux, entre tanneurs, corroyeurs et mégissiers, cordonniers et savetiers, etc. La vie corporative est une âpre lutte contre la concurrence, en vue d'obtenir arrêts du

Parlement, du Conseil, et lettres patentes confirmant les privilèges, le double monopole (fabrication d'un produit et rayon de vente).

Le métier juré est aussi un organe semi-public, collaborant à la police générale, service d'incendie et de guet, milice encore au XVIe siècle mais jouant aussi en contrepartie un rôle fiscal onéreux (taxes ordinaires et dons gratuits), les jurés répartissant les sommes et les levant eux-mêmes. La bourgeoisie des maîtres est tantôt favorable, tantôt hostile à la forme jurée du métier, plus sévère et contrôlée. Par exemple : en 1585, les taverniers de Paris, métier libre, mais sous étroite tutelle policière, sont en conflit avec les vinaigriers qui leur contestent le droit de convertir en vinaigre leur vin gâté. Or les vinaigriers étant plus forts parce que« unis en corps», les taverniers demandent au roi, en offrant « finance modérée » de les établir par lettres patentes,« en état juré pour y avoir corps, confrairie et communauté ».

Le contrôle public s'étend toujours plus sur les métiers, jurés ou non, avec l'autorité municipale de l'échevinage, et surtout les agents royaux : à Paris le procureur du roi au Châtelet, ailleurs les juges de bailliage ou de sénéchaussée, au-dessus, les Parlements et, pour certains métiers (orfèvres) la Cour des Monnaies. D'ailleurs les rois et les corps de Ville ont toujours strictement réglementé les « métiers de danger » intéressant le ravitaillement, la santé ou l'ordre public : boulangers, serruriers, apothicaires, barbiers-chirurgiens, orfèvres, imprimeurs-libraires, même non jurés. De même, les pouvoirs publics refusent à certains métiers inférieurs le droit de former corps et communauté (débardeurs, portefaix) mais en favorisent d'autres, vendent des lettres de maîtrise dispensant du chef-d'œuvre, accordent des privilèges à certains forains, à certains artistes ou artisans, aux marchands « suivant la Cour », etc. Privilégiés parmi les privilégiés sont les *Six Corps de Paris*, fédération reconnue par le roi, jouant un rôle municipal et économique puissant avec les *gardes* (jurés) de chacun d'eux, et qui sont les merciers (*mercatores*, issus de la hanse des marchands de l'Eau), les drapiers, les épiciers, les pelletiers, les bonnetiers et les orfèvres, une riche bourgeoisie marchande bien au-dessus du petit patronat des métiers « mécaniques » manuels. En outre, le commerce de gros, la banque, l'armement maritime furent toujours métiers libres.

Et la main-d'œuvre ? L'autorité publique protège les métiers, c'est-à-dire les maîtres, interdit toute autre association, mais tolère les confréries, d'ailleurs surveillées. On vit parfois des confréries ouvrières distinctes de celles des maîtres. Le compagnonnage, prohibé par la Monarchie comme par l'Eglise (qui voit dans ses serments et rites naïfs la parodie des choses saintes) n'apparaît que dans les métiers volontiers nomades (maçons, charpentiers, menuisiers, etc.), et la coalition, groupement temporaire en vue d'un résultat précis et entraînant la grève, est sévèrement interdite par l'article 191 de l'ordonnance de 1539 et toute la législation d'Ancien Régime.

Il y eut des mouvements célèbres de résistance ouvrière, alors que bien des artisans accueillaient la Réforme religieuse comme prélude à une réforme sociale (à Meaux) : la « Grande Rebeine » de Lyon, en avril 1529, est une révolte populaire contre la vie chère, le prix du blé, avec mise à sac de maisons riches comme celle du Consul Symphorien Champier, célèbre humaniste. Le Consulat présenta les insurgés comme des gens sans aveu et... des hérétiques, car l'hérésie « luthérienne » commençait à foisonner à Lyon, et la Milice bourgeoise des Métiers réprima l'émeute. Puis, ce fut en 1539-1540, peu après l'ordonnance de Villers-Cotterêts condamnant les coalitions, la grève des ouvriers imprimeurs de Lyon et de Paris, surtout le grand « tric » (grève) de Lyon au sujet du salaire, de la nourriture, etc. : sentence arbitrale du sénéchal de Lyon, « chèvre et chou », augmentant le salaire-nourriture mais condamnant toute coalition ouvrière, et le roi confirma ces mesures, restreignant le salaire-argent pour soutenir l'imprimerie lyonnaise contre la concurrence allemande. Le conflit traîna mais l'édit de décembre 1541 soutint à fond l'intérêt patronal. On sacrifie l'ouvrier à la production, et bien d'autres grèves du siècle (les boulangers en 1558, les tailleurs en 1579 et 1589, etc.) auront la même issue, et la législation s'alourdit sans cesse, obligeant par exemple les ouvriers en soie d'avoir un billet de congé pour être embauché par un autre maître. On peut dire que, si *la condition paysanne tend à s'améliorer quelque peu, la condition ouvrière, dans l'essor industriel, empire juridiquement et matériellement*, car les salaires n'augmentent que de 50 à 80 % alors que les prix ont quadruplé.

2) *L'organisation municipale* tend à s'uniformiser sous l'action monarchique qui fait progressivement disparaître le vieux type « communal » et les petites républiques urbaines sous le contrôle des gouverneurs, des Parlements, des baillis et sénéchaux. Il est vrai qu'à la faveur des troubles de la Ligue, bien des villes, comme Paris, tiendront tête au roi et recouvreront une autonomie passagère. La Royauté maintient en principe les libertés urbaines, laisse aux municipalités une certaine

juridiction de police, et d'administration des travaux publics,
des subsistances et des immeubles collectifs (hospices, collèges, etc.). Mais le roi, dès François Ier, exige des dons d'argent, surveille les élections, impose des candidats officiels,
prend en tutelle la gestion municipale, et Henri IV voudrait
généraliser la charte-type qu'il donne, en 1597, à la ville
d'Amiens. Partout les privilèges urbains sont peu à peu vidés
de leur contenu, et quel que soit le « Corps de Ville » (le Prévôt
des Marchands et les Echevins de Paris, le Maire et les Jurats
de Bordeaux, les capitouls de Toulouse, les Consuls de Lyon,
de Limoges ou d'Aix-en-Provence), le corps électoral est
réduit aux jurés des principaux métiers, les élections sont de
pure forme et le « magistrat », l'« échevinage » ou le « consulat »
sont aux mains d'une *oligarchie* bourgeoise, marchande ou
officière semi-héréditaire, privilégiée (mairie ou consulat
anoblissent) mais sous tutelle royale, origine de la « noblesse
de cloche » du xviie siècle.

Au xvie siècle la vie municipale est toutefois
encore, à travers la hiérarchie qui monte du « gagne-
petit » aux Messieurs des « Estats de la ville »,
active, efficace, souvent bouillonnante et tumul-
tueuse.

Chapitre II

LA STRUCTURE POLITIQUE
DU XVIᵉ SIÈCLE FRANÇAIS

I. — Qu'est-ce que la Monarchie absolue ?

Le XVIᵉ siècle a lui-même tout dit de cette monarchie : juristes et théoriciens ont pullulé, qui voulurent la définir. Rappelons des adages qui montrent que l'absolutisme théorique est très ancien : *Lex Rex ; Si veult le roy, si veult la loy ; Le roi de France ne tient que de Dieu et de l'épée*, ce qui inclut négation d'une prétendue suzeraineté spirituelle du pape, temporelle de l'empereur ; *Le roi est vivante image de Dieu*, ce qui inclut le droit divin du roi, et en fait le lieutenant terrestre de Dieu par délégation directe, et non, comme le voudrait l'Eglise (saint Thomas d'Aquin ; Bellarmin au XVIᵉ siècle) par délégation indirecte, Dieu déléguant la souveraineté au peuple qui l'aurait définitivement transmise au roi. En tout cas, Eglise et Royauté invoquent l'une et l'autre saint Paul : *Non est potestas, nisi a Deo* : tout pouvoir vient de Dieu. Droit divin et absolutisme sont deux choses, qui peuvent ne pas coexister. De plus, aucun auteur du temps, sauf certains « monarchomaques » de la fin du siècle par passion religieuse ne confond absolutisme et despotisme. Pour tous nos juristes, la Royauté française est « du tout aliénée de tyrannie ». Dire qu'elle est *paternelle* (la harangue à Louis XII en 1506), ce n'est pas la complimenter, mais simplement la

définir et la justifier (1). Tous concilient sans
embarras l'idéal d'une monarchie sage et tempérée
avec le pouvoir absolu. Et l'adage *Rex solutus a
legibus* est ainsi traduit : le roi est dégagé des lois
ordinaires, peut abroger celles qu'édictèrent ses
prédécesseurs, peut agir *sans contrôle terrestre* ;
il incarne et concentre une souveraineté qu'il ne
partage plus avec des féodaux qui n'ont plus le
droit de légiférer, de battre monnaie, de faire
guerres ou alliances, et la monarchie absolue
s'oppose à l'éparpillement féodal ; mais il est et sera
toujours entendu que *le roi doit respecter et faire
respecter les lois divines et les lois naturelles*, donc les
lois morales chrétiennes et humaines, et *les lois
coutumières*, qui sont la propriété des peuples.
Vieux principes rappelés dans les harangues : « Sire,
vous pouvez tout, mais vous ne devez pas vouloir
tout ce que vous pouvez », ou : « Sire, nous sommes
vos humbles et obéissants sujets, *mais avec nos privilèges*. » Discours de magistrats ou de députés des
provinces, et du haut de la chaire, les prédicateurs
n'hésitent pas à rappeler les rois à l'ordre... Tous ces
freins divins et humains à un despotisme arbitraire,
« retenails » et « soutenails » de l'appareil monarchique, sont évoqués par le magistrat savoyard Claude
de Seyssel, dans sa *Grant Monarchie de France* (1519),

---

(1) V. de Roland MOUSNIER, Réflexions critiques sur la notion
d'absolutisme (*Bull de la S.H.M.C.*, nov. 1955) et sa grande synthèse
XVI⁰ et XVII⁰ siècles (Coll « Crouzet », Presses Universitaires de
France, 2⁰ éd., 1956) ; Fr. HARTUNG et R. MOUSNIER, Quelques pro-
blèmes concernant la monarchie absolue (in *Relazioni*, t. IV du
Congrès Intern. de Rome, 1955) ; J. POUJOL, L'évolution et l'influence
des idées absolutistes en France (*Inform. Hist.*, mars 1956) ; outre
J. ELLUL, *Hist. des Institutions*, t. II (Coll. « Thémis », 1956), et
J. TOUCHARD, *Hist. des idées polit.* (*ibid.*, 1959), les deux ouvrages de
G. ZELLER et de R. DOUCET, tous deux intitulés *Les Institutions
de la France au XVI⁰ siècle* (1948) ; P. MESNARD, *L'essor de la Philosophie polit. au XVI⁰ siècle* (2⁰ éd., 1951), sans oublier le toujours
précieux P. VIOLLET, *Le Roi et ses ministres sous les trois derniers
siècles de la Monarchie* (1912).

où il analyse et exalte le « corps mystique » de la France dont le roi est la tête, le « chef », et dont, dira bientôt le souriant Henri IV à une députation, « vous avez l'honneur d'être les membres ». L'absolutisme est normalement compatible avec l'existence des Ordres, des « Estats » et diverses communautés, car sa raison d'être est d'arbitrer les droits et coutumes de chacun, de maintenir l'équilibre entre les classes. Gouverner, c'est arbitrer. A Seyssel qui, au début du siècle, dit que le roi doit « être bon et sage », qu'il est « député par la Divine Providence... pour maintenir et *faire justice*, qui est le vray office des princes... qu'il doit entretenir un chacun en ses libertés, ses privilèges et louables coutumes », fera écho sous Henri IV Ch. Loyseau qui définira : « La souveraineté est la forme qui donne l'être à l'Etat... toutefois il y a trois sortes de lois qui bornent la puissance du Souverain... à savoir les lois de Dieu..., les règles de justice naturelle, pour ce que c'est le propre de la seigneurie publique d'être exercée par justice et non pas à discrétion ; et finalement les lois fondamentales de l'Etat, pour ce que le Prince doit user de sa souveraineté selon la propre nature et aux conditions qu'elle est établie » (1609). Tous les grands juristes du temps, Dumoulin, Jean Bodin, Guy Coquille, distinguent la *monarchie seigneuriale*, qu'ils réprouvent, parce qu'elle prétend à un patrimoine domanial, à une propriété des corps et des biens de ses sujets, de la *monarchie royale*, selon la coutume française, qui est arbitrale, réglée, justicière. C'est pour faire régner cet ordre d'équilibre que la souveraineté est concentrée et que, dit joliment Guy Coquille « le roi est *monarque* et n'a point de compagnon en sa Majesté royale ». Déjà, le chancelier de Charles VII, Jouvenel des Ursins, soulignait le caractère *usufrui-*

tier et non patrimonial de la Monarchie : le roi est
administrateur et *non propriétaire*. La Royauté
est une *fonction* liée par les engagements du serment
du Sacre et que le roi reçoit en dépôt de Dieu dans
un but précis.

Enumérer les droits du roi, c'est déjà les limiter, et c'est
alors un lieu commun de les définir tout en les exaltant.
Les humanistes, en latin ou en français, apportent l'empreinte
de la Renaissance, transposent la vieille idée populaire de la
sainteté royale sous forme d'idée du Roi-Héros, du Roi-Dieu,
plus tard du Roi-Soleil mais le soleil apparaît déjà sur les écus
de Charles VIII et l'emblème solaire, apport de paganisme,
deviendra commun dans les fêtes et les décors de Cour dès
Henri II ; ils expriment un *nationalisme* gallo-français contre
les prétentions de l'empereur, un *gallicanisme* parfois agressif
contre les prétentions du pape (tel un Jules II), un *militarisme*
chrétien qui rejoint la vieille idée de Croisade ; ils popularisent
les mots et l'idée de *nation* et de *patrie*. Ainsi font Guillaume
Budé *(De Asse)* qui exalte le « génie de la France », Valéran de
Varennes, qui ressuscite les épopées gauloises et franques
et chante Jeanne d'Arc, alors oubliée *(De Gestis Johannae
virginis*, 1516) ; le Lyonnais Symphorien Champier qui rêve
d'une *Iliade* française et exalte la primauté « gallique » sur
tous les peuples, ou Ch. de Grassaille chantant la gloire
« stellaire » de François Ier. Patriotisme vacillant chez le féodal
Bourbon, comme chez un Brantôme, mais déjà très net, en
1506, chez le chanoine parisien Thomas Bricot qui vient
à Plessis-lès-Tours supplier Louis XII de « donner sa fille
unique (Claude) à Monsieur François, *qui est tout français* »
et non à Charles d'Autriche ; ou dans les Etats Généraux de
la Ligue en 1593 qui écartent la candidature royale de l'in-
fante Isabelle, fille de Philippe II, moins par amour de la Loi
salique que pour ne pas devenir Espagnols ; même chez le
huguenot émigré François Hotman, insurgé dans son cœur
contre une monarchie persécutrice, mais qui déclare que « c'est
crime et impiété de nous révolter... contre une ingrate patrie...
qui est fort au-dessus de nos père et mère ».

La nature de la royauté est triple au XVIe siècle : chrétienne,
féodale et « romaine » :

a) *Roi Très Chrétien* depuis le baptême de Clovis et la
consécration de Pépin par l'Eglise, le *Rex Francorum* est
sacré, doit mettre son pouvoir au service de l'Eglise et de
l'orthodoxie religieuse, car il est responsable du salut de ses

sujets. Il communie sous les deux espèces comme un prêtre, sera qualifié d'« évêque du dehors » et son caractère religieux est à la fois concrétisé par les onctions d'huile sainte au Sacre, où il jure de garder son peuple dans la paix, de juger selon l'équité, d' « exterminer » les hérétiques (les chasser du royaume), et par son pouvoir thaumaturgique de guérir les écrouelles à de grandes fêtes annuelles (Pâques, Assomption, Noël...) où se pressent des centaines de scrofuleux : « Le roi te touche, Dieu te guérisse. » Toutefois, contrairement à la légende, le Sacre ne *fait* pas le roi, qui est « parfait » dès la minute de son avènement ; il concrétise et sanctionne par son prestige moral et divin la légitimité du fardeau royal ;

b) *Monarque féodal*, notre « Seigneur roi » (ou « le Roi notre Sire ») est le « seigneur fieffeux suprême », chef de toute la hiérarchie féodale, car tous les fiefs relèvent directement ou indirectement de lui ; tous les seigneurs sont ses vassaux ou arrière-vassaux et lui doivent service (le ban et l'arrière-ban). Il y a donc encore au XVIᵉ siècle deux sortes de frontières : celles du domaine royal (où le roi de France est devenu par conquête ou héritage comte ou duc, ainsi Guyenne, Normandie, Bourgogne, Provence, Bretagne, etc.), et celles, plus larges, de la « mouvance » française, par exemple : Artois et Flandre jusqu'au traité de Cambrai de 1529, qui délient leur comte (Charles-Quint) de toute vassalité envers François Iᵉʳ ou des enclaves comme le Charolais (espagnol) ou le duché de Nevers dont le roi est non pas souverain, mais suzerain, etc. ;

c) *Monarque absolutiste*, le Roi Très Chrétien tend à l'être de plus en plus par influence et pénétration du droit romain, du Code Justinien grâce à l'action des légistes de l'Ecole de Toulouse qui attribuent au roi le pouvoir totalitaire de la *Lex regia*, tels ces juristes auvergnats que furent les chanceliers Antoine Duprat et Michel de L'Hôpital. On a opposé le paternalisme d'un Louis XII au despotisme des Valois-Angoulême, et François Iᵉʳ fut le premier roi, grâce à sa mère Louise de Savoie et à Duprat, à être qualifié de *Majesté*, titre alors réservé à l'empereur, pour souligner son égalité monarchique avec Charles-Quint. Majesté royale rehaussée par le luxe et le cérémonial de cour, mais on a faussement traduit la formule des Edits, *Car tel est notre plaisir*, plaisir *(placitum)* signifiant décision, et non caprice (*Ita nobis placuit...* : nous avons décidé de...). Peu à peu, l'*Etat*, corps abstrait et unitaire, se superpose aux « Etats », conception fédérative et féodale des rapports du roi et de ses fidèles, sous l'influence de la Renaissance italienne. La notion de l'Etat qui a sa fin en soi, sans se poser le problème moral du bien et du

mal, prélude à la fameuse *raison d'Etat* « qui est enseignement
des moyens aptes à fonder, maintenir et élargir un Etat ». La
personne du roi se fond avec la nécessité de l'Etat et ce
« dévouement » lui interdit toute vie privée, ce qui est marqué
par la publicité de plus en plus spectaculaire de sa vie quotidienne et par la règle de fusion du patrimoine personnel du roi
avec le domaine de la Couronne : on a blâmé Henri IV d'avoir
retardé, jusqu'en 1607, l'incorporation au domaine royal,
donc national, de ses biens et fiefs de Bourbon-Vendôme, la
couronne de Navarre restant indépendante et en simple union
personnelle avec celle de France.

Enumérons ces « droits régaliens », attributs de la souveraineté, après tous les juristes, Seyssel, Ferrault, de Grassailles,
Chasseneuz, du Tillet, du Haillan, Guy Coquille, ce qui se
réduit à une demi-douzaine de « pouvoirs » : *rendre et faire
rendre bonne justice*, ce qui entraîne le *droit de grâce* ; *faire
guerres, alliances et traités* ; *faire lois et ordonnances*, sans autre
limitation que celle de ses devoirs : *battre monnaie, lever aides
et impôts, droit d'anoblir* et *droit de créer des offices*, car la
structure de cet Etat « moderne » à tendance bureaucratique
repose sur ce « corps d'officiers », le « quatrième Estat » selon
Montaigne. Droits qui sont des monopoles, car le roi peut seul
maintenant les exercer, et le XVIe siècle a connu une activité
législative intense, avec les grandes *Ordonnances* de Lyon
(1510), de Crémieu (1536), de Villers-Cotterêts (1539), d'Orléans (1561), de Moulins (1566), de Blois (1579) et une masse
d'édits et règlements. Le roi légifère surtout en matière publique, mais aussi en matière privée (propriétés, mariages,
légitimation de bâtards, etc.).

II. — Les Lois fondamentales
et les Institutions coutumières

L'ancienne France a toujours distingué les *lois des
rois*, toujours réformables ou révocables, et les
lois du royaume (1), lois immanentes d'autant plus
sacro-saintes qu'elles sont tradition non écrite,

---

(1) V. surtout LEMAIRE, *Les lois fondamentales du royaume* (1907)
et les manuels d'*Histoire du Droit et des Institutions*, cités ci-dessus,
J. ELLUL, J. TOUCHARD, G. ZELLER ou R. DOUCET, ainsi que
P. VIOLLET.

propriété nationale intangible et vraie *Constitution coutumière* qui oblige les rois, les Ordres, les « Estats » et les sujets « régnicoles ».

a) *Les lois fondamentales* du royaume concernent la Couronne et se ramènent à quelques grands principes : d'abord la prétendue *Loi salique* qui règle depuis les problèmes de 1316 et de 1328 la succession et la masculinité de la Couronne, et non pas l'hérédité, comme on le dit à tort, puisque l'héritage en ligne féminine est exclu : la monarchie française est *successive*, et non héréditaire, ce qui s'exprimait par la formule « le *roi* succède au roi » et le rituel *Le roi est mort ! Vive le roi !*, ce qui signifie que la Royauté ne meurt jamais (symboliquement, le Chancelier, son porte-parole, ne porte pas le deuil du roi défunt, car la justice ne saurait cesser), qu'à la seconde même où le roi meurt, son successeur *légitime* (l'aîné des plus proches parents par les hommes et en légitime mariage) devient automatiquement roi, *pleno jure ac potestate*, avant et sans même le sacre qui n'équivaut qu'à un huitième sacrement de « confirmation ». La Couronne n'est pas un héritage, car le roi ne peut la léguer à son gré : les testaments royaux seront cassés, car ils obligeraient leurs successeurs, qui ne seraient plus alors souverains absolus, et le nouveau roi peut théoriquement casser tous les actes de son prédécesseur. Le traité de Troyes de 1420, par lequel Charles VI avait déclaré le roi anglais son héritier, avait été nullifié par le Parlement : la Royauté, office public, et non patrimonial, est indisponible. Ceci entraîne qu'un roi de France ne saurait abdiquer, qu'un successible éventuel ne saurait renoncer à son droit, mais le cas ne s'est jamais posé alors. Seul, le système de la Régence, en cas de minorité ou d'incapacité, reste flottant

au XVIe siècle, débattu entre la reine-mère (Catherine de Médicis) et le premier prince du sang
(Antoine de Bourbon-Vendôme) par un compromis
au profit de la première. Déjà Louise de Savoie,
quoique non reine, avait résolu en ce sens le problème de la captivité de son fils, avec l'accord du
Chancelier et du Parlement. A la légitimité s'ajoutera le principe de *catholicité* qui se posera, en 1584,
quand la France consternée découvrit dans le
successeur légitime un hérétique relaps, Henri de
Navarre, que le pape déclara déchu de ses droits,
et Henri IV comprit si bien le vœu national et
l'impérieuse loi qui régnait au fond des cœurs qu'il
abjura, en 1593.

Autre loi fondamentale, est celle de l'*inaliénabilité
du domaine royal*. On dit que le roi, usufruitier
responsable, reçoit le domaine en dot lors de son
mariage avec la Couronne : il peut disposer des
revenus, non du capital, et promet au serment du
Sacre, depuis 1364, de n'en aliéner aucun « fleuron ».
La pratique des apanages consentis aux frères
puînés des rois, avec droits régaliens, a disparu
au XVIe siècle ; mais si le roi ne peut aliéner, il peut
« engager » contre argent, en cas de détresse, une
part des biens domaniaux, avec faculté de rachat,
par acte vérifié par le Chancelier et le Parlement.
On sait assez la solennelle Remontrance au roi,
vrai rappel à l'ordre du Parlement et des Etats de
Bourgogne, après le traité de Madrid de 1526, qui
prétendait céder la province à l'empereur, sans droit
ni consentement des peuples.

La loi d'*indépendance* nie toute suzeraineté
temporelle du pape et de l'empereur sur la Couronne,
indépendance illustrée par les adages « Le roi de
France ne *tient* que de Dieu et de l'Epée », et « Le
roi est *empereur* en son royaume », donc souverain.

Le principe d'*unité de la Couronne* rappelle son indivisibilité et est souvent rappelé contre les prétentions de certains princes du sang à partager le trône qui n'est pas un bien familial : et pourtant bien des Français hésitent, par fidélité au sang royal capétien, en suivant parfois dans sa rébellion un prince du sang dont la présence apporte encore une teinte de légitimité, et cela jusqu'au milieu du XVIIe siècle.

Il est d'autres lois, moins fondamentales, néanmoins « écrites au cœur de chaque Français » (Loyseau). La coutume veut ainsi que le roi gouverne « par conseil », pour s'éclairer, mais il agit librement et n'est nullement lié par l'avis de ses conseillers. Il consulte qui il veut : son Conseil proprement dit, son Parlement ou des Assemblées d'Etats ou de Notables. Rappelons les images de Seyssel : un grand Conseil évoque les 72 disciples du Christ, le Conseil ordinaire rappelle les 12 apôtres, et le Conseil étroit ou secret Pierre, Jacques et Jean qui suivirent Jésus sur la Montagne pour sa Transfiguration.

La coutume veut aussi que le roi, justicier avant tout, soit accessible à tout sujet, si humble soit-il, d'où la pratique des placets et requêtes. Le roi se doit à son peuple, d'où le caractère public de sa vie quotidienne même : le roi naît et meurt publiquement, et chacun peut vérifier qu'il n'y a pas substitution, que rien n'est contestable. C'est la vieille notion familiale et paternelle de la Royauté. Le développement d'un cérémonial rituel de cour, destiné à rehausser l'éclat de la Majesté royale, atténuera peu à peu ce contact familier avec le peuple, surtout à partir d'Henri III, féru d'étiquette comme sa mère.

Cet ensemble de coutumes était pour nos pères une Constitution qui liait les rois et formait ce que Dumoulin appelait la « Loi Nationale ». On voit que malgré la structure « fédérative » du royaume, malgré les particularismes des provinces, communautés et dialectes, la tendance unitaire est ancienne et largement ressentie, et le refrain du poète populaire Pierre Gringoire sous Louis XII « Un Dieu, une foi, une loi, un roi » devint vite une devise, autant juridique que sentimentale.

b) *Les Institutions coutumières* qu'il suffit de rappeler comme autant de freins à cet absolutisme grandissant, ne sont pas, sauf les Parlements, d'origine royale, d'où leur nature coutumière même, enracinée dans l'âme des peuples. Très longtemps, même au delà du XVIe siècle, les sujets du roi, dans et par leurs groupements, géreront leur propre « police » c'est-à-dire s'administreront eux-mêmes. A la base, dans le cadre de la seigneurie et de la paroisse, l'Assemblée villageoise de la « communauté d'habitants », formée de tous les chefs de famille, élisait un mandataire, le syndic. Vivante et pittoresque était la réunion du « général de la paroisse », certains dimanches après l'office, sous la direction d'un officier seigneurial, bailli ou procureur fiscal, du curé et des marguilliers, pour décider des questions d'intérêt commun, des biens communaux, de la répartition et levée de la taille royale, etc. : une démocratie rurale, mais dirigée.

Au-dessus, le XVIe siècle connut encore souvent des Assemblées des Trois Ordres par bailliage, ou des Assemblées bailliagères de la Noblesse seule, souvent à la faveur des troubles civils de la fin du siècle. Mais seuls, les *Etats provinciaux* tendent à subsister, tout en s'atrophiant peu à peu. Plus du tiers du royaume connaissait encore ces Assemblées des Trois Etats, réunies sur convocation du roi, avec fonction essentielle de voter, répartir et souvent lever les impôts. Leur système d'élections et leurs pouvoirs variaient avec chaque province : compétence administrative qui n'a pu devenir politique qu'à la faveur des troubles (1).

La plupart de ces Etats provinciaux avaient jadis consenti à prendre le roi pour duc ou comte, contre concession par

---

(1) Ils ont joué un rôle consultatif important au XVIe siècle, lors de la rédaction des *Coutumes provinciales*.

celui-ci de franchises, telles que le maintien de leurs lois et coutumes, de leurs assemblées, de leurs officiers locaux, etc. Ces Assemblées solennelles, parfois présidées par un archevêque métropolitain, le sont en fait par un commissaire du roi, le gouverneur, ou un prince du sang, qui a convoqué la réunion et lui fait part des désirs et ordres du roi. On discute fort l'*aide* demandée souvent qualifiée *don gratuit* ; on vote ; souvent le roi transige, consent un rabais ; il se fâche parfois, dissout les Etats. Les plus puissants sont ceux de Languedoc, de Bourgogne, de Bretagne, de Provence, de Dauphiné. Mais il y en a encore, plus ou moins actifs, en Normandie, Anjou, Limousin, Velay et bien des petits pays de Guyenne ou de Gascogne subpyrénéenne, mais sans pouvoir financier effectif : rien de comparable aux Etats du Languedoc, couvrant les trois vastes sénéchaussées de Toulouse, Carcassonne et Beaucaire, et comprenant 22 *diocèses*, subdivisions fiscales, tenant leurs assemblées propres, les *Assiettes diocésaines*, pour répartir et lever l'impôt du roi sans officiers royaux, privilège insigne.

Les Etats généraux auraient pu devenir l'équivalent du Parlement anglais, mais l'essor des théories absolutistes et de l'autorité royale sous les Valois-Angoulême les a empêchés d'être une représentation régulière des Ordres et un organe de contrôle permanent. La Monarchie ne les convoque plus qu'à regret, et leur réunion traduit toujours une crise de la Royauté (minorité royale, détresse financière, troubles politiques) : 1484, 1560-1561, 1576, 1588.

1) *Structure des Etats* : régime électoral et représentatif complexe : pour le Clergé et la Noblesse, l'élection se fait au chef-lieu de bailliage ou de sénéchaussée ; peuvent être représentés aux Etats tous les seigneurs de fief (même les femmes veuves ou célibataires), tout clerc possédant un bénéfice, et certaines grandes communautés religieuses. Le Tiers Etat, qui groupe tous les « roturiers », vote à 2 ou à 3 degrés. Au village, l'Assemblée des taillables, chefs de familles ou de « feux », rédige un cahier des vœux de la paroisse et élit un délégué, régime quasi-démocratique. Ces délégués réunis dressent, sous la direction de gens de loi, les plus éclairés ou influents, un Cahier de doléances du bailliage, la vraie circons-

cription électorale et élisent leur député du Tiers. Dans les
villes, il faut souvent être membre d'un métier corporatif
pour voter à la base, et les délégués de métier (qui rédigent des
Cahiers) élisent les « électeurs » de la ville, qui vont ensuite à
l'assemblée électorale du bailliage, ce qui fait une représentation à 3 degrés. *Le mandat est impératif* et, aux Etats Généraux, les Ordres délibèrent et votent séparément, sauf aux
séances solennelles présidées par le roi. Chacun des 3 Ordres n'a
qu'une voix résultant de la majorité des voix dans chaque
Ordre, si bien que le nombre des députés de chaque Ordre,
assez variable, n'a guère d'importance.

2) *Compétence des Etats :* le roi ne les consulte que sur ce
qu'il veut, mais leur attribution principale, issue d'ailleurs du
motif de leur convocation, reste le vote des impôts, ou plutôt
des impôts nouveaux, car si les Etats de Tours, de 1484, ont
proclamé le droit du peuple à consentir l'impôt, toujours nié
et éludé par le roi, les légistes ne contestaient plus le pouvoir
fiscal du roi par nécessité nationale. En 1484, les Etats avaient
en vain présenté aux Beaujeu un programme de réformes de
l'Etat, avec contrôle financier des Etats devenus périodiques.
En 1560, les Etats d'Orléans, puis de Pontoise (le clergé à
Poissy), réunis pour cause de détresse financière et de crise
religieuse, demandent aussi la réformation de la Justice et le
contrôle des officiers de finance, lancent même l'idée de sécula-
riser les biens d'Eglise pour financer une Assistance publique
régulière.

Les deux grandes sessions de Blois (1576, 1588), dominées
par le parti ligueur contre Henri III, refuseront net tout
nouvel impôt, réclameront des réformes, dont d'ailleurs
l'ordonnance de 1579 tiendra partiellement compte. Organe
d'expression certes, surtout de certaines ardeurs partisanes,
l'opinion, déçue par les dissensions violentes et stériles entre les
Ordres, ne les soutient guère, et la Royauté utilise ces divisions
pour annihiler l'efficacité des Etats.

III. — Comment gouverne la Royauté

Il y a pratiquement synthèse et compromis entre
les Institutions royales et les Institutions coutumières dont la résistance plus ou moins passive
établit une Monarchie, absolue dans ses principes,
tempérée dans les faits. Dans quelle mesure et par
quels agents la volonté royale peut-elle s'imposer

dans les plus lointaines paroisses ? Sans pouvoir
analyser ici tous les instruments du pouvoir (1),
nous chercherons à dégager les aspects les plus carac-
téristiques de l'action monarchique et du régime.
Le système gouvernemental et administratif s'ébauche et s'édifie empiriquement au cours du XVIe siècle, et sous l'Ancien Régime tout est flottant, rien
n'est rigide : les contours et limites seront toujours
imprécis entre les institutions, d'où d'incessants
chevauchements et conflits d'attributions et de
ressorts ; les termes eux-mêmes sont vagues, ont
de multiples sens : ainsi *police*, *province*, *intendants*
ou *surintendants*, etc., désignent des administra-
tions, des circonscriptions, des fonctions très
variées (cf. G. Dupont-Ferrier, L'emploi du mot
« Province »..., *R.H.*, 1929, t. 160 et 161).

— On oublie trop souvent d'abord les dimensions
réelles de la France d'alors où, jusqu'au milieu du
XIXe siècle, *vitesse et distance se mesurent au pas ou
au trot du cheval* : la centralisation tant vantée
sera longtemps dérisoire dans une France pratiquement immense, en un temps où l'on mettait 2 jours
de Paris à Orléans ou à Château-Thierry ou à
Amiens, 6 à 7 jours de Paris à Metz, 7 à 8 de Paris
à Bordeaux, 12 environ jusqu'à Marseille, selon
l'itinéraire et surtout les saisons. On peut donc
mesurer la circulation des nouvelles ou des ordres
royaux d'après *La Guide des Chemins de France*,
de Ch. Estienne (1553), cet ancêtre des *Guides bleus*...

(1) Outre les manuels de P. VIOLLET *(Le Roi et ses ministres...)*,
de DECLAREUIL, ELLUL, ZELLER, et DOUCET, v. les articles de Georges PAGÈS, Essai sur l'évolution des institutions administratives du
début du XVIe à la fin du XVIIe siècle *(R.H. Mod.*, janvier et
mars 1932), de Gaston ZELLER, L'administration monarchique avant
les intendants ; Parlements et Gouverneurs *(R. Hist.*, 1947) ; les
divers travaux de R. MOUSNIER, depuis ceux de Noël VALOIS
(1886 et 1888), sur *Le Conseil du Roi*, toujours utiles, du comte de
LUÇAY sur *Les Secrétaires d'Etat* (1888) et de P. ROBIN sur la
Compagnie des Secrétaires du Roi (1933).

On mesure aussi la liberté d'initiative des pouvoirs locaux !

— Un second point important de l'Ancien Régime est qu'il y a confusion des pouvoirs : *tout administrateur est juge, ou réciproquement*, c'est-à-dire que l'officier, la Cour de Justice ou le corps public qui édictent une mesure administrative, jugent et punissent les contrevenants à cet arrêt.

— Un troisième point essentiel est la nature même des agents du roi, qui sont de deux espèces : les *officiers*, titulaires d'un office, fonction publique permanente et régulière, et les *commissaires*, porteurs d'une lettre de commission, mission spéciale, extraordinaire, temporaire et toujours révocable, qui peut être très large ou très limitée. A la longue, bien des commissaires seront stables, perpétués dans leur fonction, mais toujours révocables (ainsi les conseillers d'Etat, les gouverneurs, et au XVIIe siècle les intendants de province). L'officier, par principe, déteste le commissaire, qui vient le contrôler, et peu à peu le dominer et le supplanter (le drame d'Etat de la première moitié du XVIIe siècle), et le piquant est qu'on est souvent à la fois officier et commissaire, puisque le roi choisit le plus souvent ses conseillers d'Etat ou ses commissaires dans les provinces ou les armées parmi les maîtres des requêtes ou les présidents de Cours judiciaires, s'il trouve en eux des hommes de confiance. Ces officiers, peut-être 12 000 vers 1500, peut-être 20 à 25 000 vers 1600 pour environ 18 millions d'habitants, forment au total une assez faible *armature d'encadrement et d'obéissance*, autre frein à l'action centralisatrice monarchique, et la multiplication des offices par intérêt fiscal n'augmentera guère ces moyens d'action, car on double, triple ou quintuple les mêmes offices dans les mêmes postes :

tel tribunal passera par exemple de 3 ou 4 membres
à 10, 12 ou 15, siégeant par « quartier », etc. La *ruée
vers les offices* est l'apanage de la bourgeoisie,
surtout du « peuple gras » dont parlait Seyssel, des
enrichis, parce que l'office est d'abord une *dignité*,
dira Loyseau, avant même d'être une charge, parce
qu'il apporte honneur, pouvoir, parfois anoblissement, et qu'il exempte de la taille (1).

Tout est venu de la *vénalité* et de la progressive *hérédité
des offices*. Louis XII, à l'instar de certains Etats italiens,
a vendu des offices de finances et ses successeurs, y trouvant
leur compte, élargiront la pratique aux offices de judicature,
en créeront de toutes sortes, moins pour mieux gouverner que
pour gonfler, surtout après 1522, les recettes du *Bureau des
parties casuelles*, devenu, dira Loyseau, la « boutique de cette
marchandise ». Une piquante hypocrisie du siècle impose aux
nouveaux officiers un serment de non-vénalité. Peu à peu, de
façon complexe, au cours du xvıᵉ siècle, les rois admettent la
resignatio in favorem, la désignation d'un successeur, fils ou
parent, par le titulaire moyennant une taxe, et faite au moins
40 jours avant le décès de l'officier pour qu'il n'y ait pas hérédité de fait ni de droit. Néanmoins, l'office ayant valeur de
placement stable et viager (le roi devrait rembourser l'officier
pour le casser), devient peu à peu dans les mœurs un bien
patrimonial. Henri IV ne fait qu'entériner le système par
l'Edit de 1604 (dit de la *Paulette*, taxe inspirée et affermée par
le financier Paulet), créant le *droit annuel* : l'officier est alors
dispensé du délai des 40 jours pour transmettre l'office à ses
héritiers contre une taxe annuelle de 1/60 du prix de l'office,
et les héritiers peuvent le vendre en versant aux Parties casuelles 12,5 % du prix de l'office (au lieu du 1/4 antérieure-
ment). Il y a donc hérédité de la fonction publique, mais
imparfaite puisqu'elle n'est qu'un privilège annuel, reconduit
par le paiement de la taxe. Et la Paulette, établie pour 9 ans,
sera perpétuellement renouvelée, malgré l'opposition de la
Noblesse, aux Etats de 1614, par jalousie de la classe montante
des Officiers. Ces officiers qui servent grandement le roi au
xvıᵉ siècle contre tous les particularismes nobiliaires ou autres,

(1) V. l'étude fondamentale de R. Mousnier, *La vénalité des
officiers sous Henri IV et Louis XIII* (thèse 1945), qui vaut pour les
xvıᵉ et xvııᵉ siècles. Cette vente est une forme d'emprunt, les gages
de l'officier étant l'intérêt du capital versé.

tendront peu à peu au XVIIᵉ à former un corps politique, véritable infrastructure de l'Etat qu'ils voudront contrôler et dominer après l'avoir soutenu. Les cadres supérieurs de ce monde de la Robe, aspirés par le haut, s'intégreront peu à peu à la Noblesse.

N'oublions pas enfin que l'officier n'est pas un fonctionnaire vivant de son traitement, mais un *entrepreneur de fonction publique*, dont les gages sont minimes, et qui fait un placement, se rembourse largement sur les taillables ou les justiciables (épices, pots-de-vin, etc.), que son rang lui permet de fructueuses affaires, et qu'il peut très souvent, malgré les ordonnances, cumuler des offices royaux, seigneuriaux ou municipaux.

— Le progrès du pouvoir royal naquit aussi de la structure sociale même, compliquée de l'incidence religieuse. La crise spirituelle sert d'aliment et d'alibi aux âpres rivalités des *clans* de la Haute Noblesse des *Grands*, chacun d'eux entouré de parentèles et clientèles nobiliaires provinciales et semi-féodales : les Bourbons, branche aînée et leur rameau de Montpensier en Bourbonnais, Auvergne et Forez, les Bourbons-Vendôme-Navarre et leur branche cadette de Condé (devenus les champions du protestantisme au XVIᵉ siècle avant Henri IV), la prolifique dynastie des Montmorency, et les « princes étrangers habitués » à la Cour de France, vite francisés : l'innombrable clan des Lorraine-Guise et leurs rameaux de Mayenne, d'Elbeuf, de Mercœur, etc., les Savoie-Nemours, les Clèves-Nevers en attendant les Gonzague-Nevers, les La Marck-Bouillon, etc. Tous veulent entourer, servir les rois, avant de les conseiller et de les contrôler (rivalité des Montmorency et des Guises au Conseil du Roi sous François Iᵉʳ, Henri II, François II, Charles IX) avant de se faire distribuer les *gouvernements* de provinces : sous le faible Henri III, la nouvelle féodalité des gouverneurs fera des provinces autant de satrapies quasi-autonomes et risquera de faire éclater le royaume à la faveur de la Ligue, avec les dynasties provinciales des Montmorency en Languedoc, de Guise en Champagne, de Mayenne en Bourgogne, de Mercœur en Bretagne, etc. Tous deviennent des « demi-rois », même les favoris royaux comme Joyeuse ou d'Epernon (ducs et pairs en 1581). La prolifération des duchés-pairies au XVIᵉ siècle est un signe de faiblesse de la royauté, surtout d'Henri III, qui croit s'attacher des fidélités, et c'est socialement le tremplin de la petite noblesse vers la grande.

Toutefois la Royauté profite des appétits sociaux et de leurs conflits et déséquilibres, telle l'âpre lutte entre noblesse et haute bourgeoisie montante : le roi a besoin de celle-ci pour ses Finances et sa Justice, pour peupler le monde des robins et officiers, ses instruments. Par contre, la noblesse, victime de la hausse des prix, ne peut se défendre financièrement contre la bourgeoisie que par l'appui et les *grâces* du roi (charges de Cour, charges militaires, bénéfices ecclésiastiques) : le roi est reconnu par tous comme arbitre et dispensateur des grâces ou offices ; on n'est plus rien sans lui.

— La royauté a pour elle aussi, comme instrument d'unification centralisatrice, la diffusion de la langue française dans le royaume, par-dessus les dialectes (1), surtout dans la langue écrite. Au début du XVIᵉ siècle, au sud d'une ligne Libourne-Limoges-Guéret-Annonay-col du Lautaret, tous les actes officiels ou privés sont en dialecte d'oc (ou en latin) ; mais dès la 2ᵉ moitié du XVᵉ siècle la pénétration française est rapide, surtout le long des routes commerciales : Mende, en Gévaudan, parce que sur la vieille voie Paris-Nîmes-Montpellier, est francisée 50 ans avant Rodez, capitale du Rouergue. Vers 1530, c'est une vraie ruée du français de Bordeaux vers les Pyrénées et de Lyon vers Marseille. Enfin, un acte royal, la fameuse

(1) V. surtout Ferd. BRUNOT, *Hist. de la Langue française*, t. II, « Le XVIᵉ siècle » (1906) et Aug. BRUN, *Recherches hist. sur l'introd. du français dans les provinces du Midi* (thèse 1923.)

Ordonnance de Villers-Cotterêts (art. 111) ordonne de rédiger
en français tous les actes de justice, de procédure, de notaires
(contrats, testaments), etc., et l'on constate qu'elle fut partout
appliquée sans opposition.

— La Royauté fait parfois appel à l'opinion en certains cas
graves pour renforcer sa position morale, au moyen des *Assemblées de Notables*, bien préférables aux Etats Généraux
élus, peu dociles.

Elle *choisit* une centaine de Notables sûrs, pris dans les
Trois Ordres, ceux du Tiers étant formés d'officiers surtout,
présidents de Cours judiciaires, conseillers de bailliage, etc. Le
roi leur dicte un plan de délibérations sur les sujets qu'il veut
et ils lui présentent des vœux : en 1506 à Tours, il s'agit de
faire approuver le mariage de Claude de France avec François
d'Angoulême ; en 1527, de proclamer que le roi ne peut ni
abdiquer, ni céder la Bourgogne, etc., et souvent pour des
questions d'impôts ou d'administration (1558-59, 1583, 1596).
Parfois il s'agit d'un Conseil du Roi « élargi » à une cinquan-
taine d'assistants, etc.

— Enfin, la *mainmise de l'Etat sur l'Eglise de France* par
le Concordat de Bologne de 1516 avec Léon X, fut un grand
instrument de concentration et d'autorité. Roi et pape se
partagent la direction du clergé, en mettant fin aux vraies
libertés de l'Eglise gallicane : plus d'élection des évêques par
les chapitres, ni des abbés dans la plupart des monastères.
Le roi désigne des candidats que le pape (remplaçant l'archevêque) doit investir canoniquement, et le prélat jure fidélité
au roi qui lui remet son *temporel* (on a soutenu que cette mise
à la disposition du roi des biens d'Eglise avait évité à la France
la Réforme et le schisme, avec sécularisation des couvents,
comme fit Henry VIII Tudor, puisque le roi en devenait
largement le maître et dispensateur, grand moyen de gouvernement). En outre, le clergé dut contribuer aux besoins financiers du roi, levée de décimes, dons gratuits octroyés par des
Assemblées diocésaines, etc. Les exigences royales grandirent
avec la détresse en 1560, où aux Etats d'Orléans et de Pontoise,
Noblesse et Tiers déclarèrent que le Clergé, le plus riche des
Ordres, devait payer les dettes d'Etat (plus de 40 millions de
livres). Le Clergé dut transiger par le *Contrat de Poissy* (1561) :
il paiera pendant 6 ans des annuités destinées à couvrir les
arrérages des rentes pour amortir la dette ; délai de 6 ans qui
sera perpétuellement reconduit par les Assemblées générales
du Clergé de France qui commenceront leurs réunions périodiques, plus tard quinquennales, sous Henri III. Le principe
de la contribution de l'Eglise est acquis, mais sous forme de

dons gratuits discutés et votés (contre promesse rituelle d'extermination de l'hérésie), et l'autonomie financière du Clergé est assurée, car la contribution est globale, et l'Eglise lève et répartit elle-même la somme entre les bénéficiers (1).

IV. — Les instruments du pouvoir royal

Les institutions monarchiques encore indécises et floues (2), s'ébauchent peu à peu, avant de s'affirmer dans leur forme et leur esprit du XVIIe siècle.

1. Pouvoir central. — « Le Roi dans son Conseil », selon la formule des édits, est le pouvoir législatif, exécutif et judiciaire suprême, et ce Conseil, encore fluide et incertain dans sa composition, nous est mal connu. On distingue les conseillers-nés (de droit : princes du sang, ducs et pairs) et les conseillers faits (nommés : grands officiers de la Couronne, prélats, gouverneurs, baillis, et quelques officiers de justice ou de Finance). En fait le roi choisit qui il veut, et en nombre variable : une royauté forte s'entoure d'un Conseil restreint, mais il devient une cohue sous François II et Charles IX quand on doit en ouvrir l'accès aux grands et aux chefs de factions. En fait se dégage vite un personnel technique, laborieux, assidu et stable, spécialisé en matière de justice ou de finances, recruté parmi les officiers bourgeois de « robe ».

1) Le Conseil est issu du démembrement de la *Curia regis* capétienne (la Cour-le-Roi) au début du XIVe siècle. Parlement, Chambre des Comptes et Grand Conseil, mais les deux premiers sont devenus *Cours souveraines* c'est-à-dire siégeant

(1) Outre l'*Hist. de l'Eglise* de FLICHE et MARTIN, avec le vol. de CRISTIANI, *L'Eglise au temps du Concile de Trente*, v. dom POULET, *Hist. du Christianisme*, t. III (1948), et LATREILLE et DELARUELLE, *Hist. du Catholicisme en France*, t. II (1960). Consulter le *Dictionnaire de Théologie catholique*, très riche. P. CHAUNU, Réforme et Eglise au XVIe siècle (*R.H.*, avril 1962).
(2) Rappelons ici les travaux et articles de G. PAGÈS, de G. ZELLER, de R. DOUCET et *Le Roi et ses ministres*, de P. VIOLLET.

sans le roi et par délégation, alors qu'au Conseil le roi est
toujours censé présent et y exercer sa justice *retenue*. Second
démembrement en 1497-1499 : une fraction du Conseil devient
et restera Cour souveraine à son tour, surtout tribunal des
conflits de juridiction entre offices, et procès en matière de
bénéfices religieux, mais le roi y fait évoquer telles affaires
qu'il veut : d'où l'hostilité historique du Parlement contre la
concurrence du *Grand-Conseil*. Restait le *Conseil privé*, le vrai
gouvernement consultatif et délibératif.

2) Ce Conseil du Roi gardera toujours son unité officielle
et fictive, se réunira en sessions spécialisées, avant de former
insensiblement des sections spéciales, et le roi n'assistera
qu'à certaines séances, surtout d'ordre politique, laissant de
fait les autres à un personnel de techniciens, légistes et
comptables.

3) L'*Hôtel du Roi* devient en s'agrandissant la *Maison du
Roi*, entourée de celles de la reine, des princes et princesses,
toutes divisées en services (Aumônerie, Chambre, Paneterie,
Ecurie, Vénerie, Maison militaire, etc.). Elle forme le cadre
de la Cour et les *Grands officiers de la Couronne* sont les chefs
des divers services, sous les ordres du Grand Maître de France
(un prince du sang ou un Guise), mais la plupart n'ont guère
qu'un rôle domestique. Une brillante cohue de 15 000 personnes environ forme la Cour nomade de François Ier ou de
Catherine de Médicis : une foule de seigneurs sont accourus
avec femmes et enfants pour servir dans ces Maisons royales
et princières. Deux Grands officiers gardent un rôle politique
essentiel dans l'Etat et au Conseil : le *Connétable de France*,
chef de l'armée royale, porte-épée du roi, et le *Chancelier de
France*, porte-parole du roi, premier officier du Royaume,
chef de la Justice et du monde de la Robe, qui préside la plupart des Conseils royaux, dirige la bureaucratie embryonnaire
du gouvernement. Bien qu'inamovible, il peut être disgracié
et remplacé dans ses fonctions par un *garde des Sceaux*,
commissaire révocable.

4) Les auxiliaires du Chancelier sont de 3 sortes (outre une
foule de commis, greffiers, chauffe-cire, etc.) :

a) La *Compagnie des Notaires et Secrétaires du roi*, vraie
confrérie religieuse sous patronage des 4 évangélistes (les
premiers notaires, puisqu'ils ont noté les paroles et les actes
du Christ et des Apôtres). Ils sont 120 qui enregistrent et
authentifient les décisions du Conseil et les actes de la Chancellerie. Il faudra toujours acheter une de leurs charges pour
devenir plus tard secrétaire d'Etat. Cette charge anoblit pleinement et immédiatement, d'où son surnom de « savonnette à

vilains » pour effacer la roture. On dira plaisamment que si
Adam avait eu un grain d'esprit, il aurait acheté une charge
de notaire-secrétaire, et toute l'humanité eût été de race
noble...

b) Certains d'entre eux sont des conseillers intimes, les
ex- « clercs du secret », devenus au xve siècle *secrétaires
des Finances*, bientôt fixés à 4, et certains jouent un rôle
ministériel éminent (Florimond Robertet sous Charles VIII,
Louis XII et François Ier). Ils prendront en 1559 le nom de
secrétaires d'Etat, L'Aubespine désirant le même titre que
Gomez da Silva, le ministre de Philippe II d'Espagne (1).

c) Les *Maîtres des Requêtes*, auxiliaires directs du Chancelier, jeunes juristes laborieux et experts, ont un triple rôle :
juges au Tribunal des Requêtes de l'Hôtel (du roi), chargé de
certains cas ; rapporteurs auprès des conseillers aux divers
Conseils du roi ; enfin, à partir d'Henri II, la royauté les
choisira surtout comme « commissaires départis » dans les
provinces et les armées, en « chevauchées » d'enquêtes ou pour
y contrôler « justice, police et finances » : ils sont donc la graine
des futurs « Intendants ».

5) Les divers Conseils peu à peu distincts dans le Conseil
du Roi sont :

a) Le *Conseil privé* (plus tard « Conseil d'Etat », appelé
Conseil « des Parties » quand il siège en Cour de cassation ou
l'appel judiciaire suprême), comprend tous ceux, de tous
rangs, qui portent titre de conseillers, mais les Grands et les
Nobles d'épée n'y viennent guère, laissant le travail aux
« longues robes », sauf dans les grandes affaires politiques. Ses
membres spécialisés, légistes appelés « conseillers du Roi en ses
conseils », ou, dès Henri III *conseillers d'Etat* (nommés par
commission ; habit violet, qui sera noir au xviie siècle) sont
souvent pris parmi les maîtres des requêtes ou les présidents
de Cours souveraines. Ce Conseil est judiciaire et législatif,
puisqu'il exerce la justice *retenue* du roi (notre Cour de cassation) mais est aussi le *laboratoire des lois et règlements* de la
Monarchie (notre Conseil d'Etat) qui seront sous forme d'édits,
d'ordonnances et de lettres patentes, rédigés et expédiés par la
Chancellerie, et enregistrés par les cours et tribunaux chargés
de les appliquer : mais les *Arrêts du Conseil*, sur des points

(1) Au Congrès de la paix du Cateau-Cambrésis, les 4 secrétaires d'Etat se répartissent géographiquement la correspondance
avec les provinces. Un semblant de spécialisation s'ébauchera sous
Henri III, quand Revol, en 1588, centralisera la correspondance
diplomatique.

précis et particuliers, ont aussi force de loi, quoique non enregistrés par les Cours souveraines.

b) Le *Conseil d'Etat et Finances*, avec un personnel plus
spécialisé encore, chargé de fixer et répartir le montant des
impôts, d'affermer la levée de certaines aides, est mal connu.

c) Le *Conseil étroit*, qui devient le *Conseil des Affaires*
dès Charles IX, comprend 3, 4, 5 ou 6 membres, choisis par le
roi où il veut, comme il veut, révocables quand il veut, car ils
n'ont ni office ni commission. Ils n'ont aucun pouvoir hors
du roi, qui les convoque à son gré comme intimes confidents.
Ils seront les « ministres d'Etat » du XVIIe siècle (avec ou sans
brevet) et forment le vrai gouvernement traitant des secrets
d'Etat (guerres, alliances, traités). L'un d'eux est souvent
appelé alors« premier conseiller » (un Duprat, un Montmorency,
un Guise).

2. L'armature judiciaire, politique et financière du Royaume.
— La Monarchie a mis en place, au cours des siècles, des *hiérar-*
chies de cadres parallèles ou superposés, plus ou moins enche-
vêtrés d'ailleurs. Quand on crée une institution nouvelle, on
ne supprime pas les anciennes, mais on les vide peu à peu de
leur contenu, de leur compétence, et on laisse la poussière des
ans s'accumuler sur elles.

1) La *hiérarchie judiciaire* est la plus ancienne, héritée des
Capétiens et de leur domaine royal. A côté et au-dessus de la
masse des justices privées, seigneuriales et autres, à la compétence de plus en plus limitée, règne au 1er degré la foule des
petits juges royaux appelés surtout *prévôts*, mais aussi *vicomtes*
en Normandie et Ile-de-France (« prévôté et vicomté de
Paris », en fait un vrai bailliage par la puissance et l'étendue),
viguiers en Provence et Languedoc, etc. : terminologie variable
et incertaine.

Au-dessus, les *bailliages* ou *sénéchaussées* (pratiquement
équivalents : environ une centaine, les premiers surtout dans
le Nord, où il y a néanmoins les sénéchaussées de Ponthieu, de
Loudéac, etc., et les secondes au Sud, où il y a pourtant les
bailliages de Labourd, de Vivarais, Gévaudan, etc.). Ce sont
de vrais *Conseils* locaux, judiciaires et administratifs, qui
ont dans leur ressort une immense compétence, rendent des
ordonnances, appliquent les édits royaux, perçoivent même les
droits domaniaux immuables au moyen de receveurs ordinaires
du Domaine, etc.

Petite polyarchie présidée (jusqu'à l'ordonnance de 1579
qui l'exclut du Conseil) par le *Bailli* (ou Sénéchal) qui est
d'épée (ou de *robe courte*), c'est-à-dire noble, non gradué en

droit, et réduit maintenant à un rôle honorifique dans sa sinécure : il réunit et amène au roi sur convocation le *ban* et *l'arrière-ban* de la noblesse locale, et préside les élections aux Etats généraux (1). Le bailliage est dirigé par un *lieutenant-général*, magistrat de *robe longue*, assisté d'un lieutenant civil, d'un lieutenant criminel, d'un lieutenant criminel « de robe courte» (officier de police), d'un procureur du roi, de conseillers de bailliage, de greffiers, etc. La plupart sont des gens du cru.

L'Edit de 1552 érigea une soixantaine de bailliages en sièges *présidiaux* ou *Cours présidiales* dans un double but : vendre de nouveaux offices et créer des tribunaux d'appel ou de compétence plus large que les bailliages pour rapprocher la justice des justiciables en soulageant les Parlements.

Au-dessus, 8 *Cours de Parlement*, dites *souveraines* (exerçant pour les appels toute la justice *déléguée* du roi) : Paris, Toulouse (1443), Grenoble (1453), Bordeaux (1462), Dijon (1489), Rouen (1499), Aix (1501), Rennes (1554), et même Chambéry de 1536 à 1559 (période d'annexion de Savoie-Piémont), tous anciennes Cours ducales ou comtales.

Le *Parlement de Paris* est le plus important par son ressort (plus d'un tiers du Royaume (2)) et sa compétence pratiquement illimitée, bornée par la seule volonté royale :

a) *Rôle politique* : Cour des Pairs (princes du sang et ducs et pairs sont membres de droit), il a droit (et *devoir*) de conseiller le roi sous forme de *remontrances* et de *vérifications* de ses édits : c'est le *droit d'enregistrement* qui leur donne force de loi exécutoire et deviendra vite forme et moyen de critique et d'opposition. Le roi y vient solennellement tenir des *lits de justice*, le Chancelier, entouré des maîtres des requêtes (membres de droit) étant son porte-parole, et imposant sa volonté finale : l'enregistrement au greffe (3). Machiavel a pu voir en lui un « tiers pouvoir » tempérant et policant cette monarchie qui lui a toujours refusé tout droit de contrôle législatif : François Ier, Henri IV réprimeront durement les prétentions législatives de « Messieurs ». Pouvoir réel, grand toutefois, puisqu'il enregistre même les traités de paix pour fixer le texte authentique.

---

(1) Le bailli ou sénéchal est souvent un officier de la Maison du roi, chambellan, gentilhomme de la Chambre, etc., servant par « quartiers », ce qui en fait un *agent de liaison*, un fidèle du roi dans la noblesse provinciale.
(2) La Rochelle, Limoges, Aurillac, Lyon relèvent de Paris.
(3) Aux Parlements provinciaux récalcitrants, le roi envoie des lettres de *jussion* ou en convoque une délégation pour la « semondre ».

b) *Rôle administratif* essentiel pour toutes les villes de son ressort : à Paris, il contrôle et dirige le Châtelet (prévôté royale) et l'Hôtel de Ville (prévôté municipale). Il rend de multiples arrêts, vrais règlements d'administration publique, concernant la police générale : voirie, approvisionnement des halles et marchés, sécurité, épidémies, prostitution, fontaines, fortifications, etc. Il réglemente aussi bien le prix des denrées, la police des cabarets que la vente des livres suspects d'hérésie et la recherche des hérétiques (1).

c) *Rôle judiciaire* enfin : Cour d'appel suprême dans son ressort (sauf évocation par le Conseil du Roi), il juge les contrevenants à ses propres ordonnances et la plupart des crimes d'Etat contre les édits.

Corps solennel et nombreux, avec son *Premier Président*, commissaire du roi, qui le choisit parmi ses membres, tels de Selves, Lizet, de Thou, ou Achille de Harlay, qui viennent juste après le Chancelier de France ; avec les *présidents à mortier* de la Grand'Chambre, les présidents des autres Chambres (Requêtes, Enquêtes, Tournelle criminelle, etc.), avec les *gens du roi*, procureur général et avocats généraux, au *Parquet* où ils sont *debout* pour requérir devant la foule des conseillers assis.

2) Les *moyens d'action* du roi dans le Royaume sont triples :

a) Créer de nouveaux *bailliages*, dont les officiers pénètrent dans les derniers apanages ou grands fiefs pour y imposer la justice du roi : ainsi celui de Saint-Pierre-le-Moûtier pour contrôler Berry et Bourbonnais, ou celui de Montferrand pour étendre les droits du roi en Auvergne, machines de guerre contre les derniers grands féodaux.

b) Nommer des *gouverneurs et lieutenants généraux* : le gouverneur est le roi présent dans la province, mais les *gouvernements* (11 à 13 au XVIe siècle) sont des circonscriptions vastes et très variables qui se stabiliseront vers la fin du siècle et correspondront, plus ou moins, à une grande province historique (Languedoc, Bourgogne...). Il n'y en a guère dans le Centre, où il y a de grands féodaux (Nevers, Bourbons-Vendôme...) ou princes apanagés (duc d'Alençon-Anjou, Marguerite de Berry) qui sont de droit gouverneurs. Le plus souvent pris parmi les Grands, le gouverneur a une compétence parfois universelle, surtout à la faveur des troubles ; il juge, lève des

---

(1) Une chambre spéciale « de la Marée » s'occupe même du ravitaillement de Paris en poisson frais ou salé car il y avait 153 jours de jeûne...

taxes, surveille tous les officiers, mais est surtout chargé
du commandement militaire et du maintien de l'ordre. Ceci
l'amène à s'occuper de police générale, donc à se heurter aux
Parlements. Dans ces querelles fréquentes, les Parlements
l'emportent souvent, avec appui du roi.

c) Envoyer des *commissaires* du Conseil privé en « chevauchées » d'enquêtes avec pouvoirs précisés par leur commission.
Sous François Ier, souvent des évêques ou des présidents de
Cours, ce seront de plus en plus des maîtres des requêtes,
parfois des conseillers d'Etat, « départis pour l'exécution des
ordres du roi », d'où sortiront, on le sait, les futurs « Intendants » aux armées et dans les provinces, titre qui apparaît
d'ailleurs dès Henri II : chevauchées très variables, en nombre,
en durée, en compétence et en étendue de ressort, ce sont les
missi dominici des Valois-Angoulême.

3) Une *hiérarchie financière*, avec de multiples cadres
d'officiers de finances, est la création du XVIe siècle. Outre ses
recettes *ordinaires* domaniales, très insuffisantes pour ses
besoins grandissants (guerres, diplomatic, bâtiments, train de
Cour), le roi vit surtout des recettes *extraordinaires* (impôts) et
des *affaires extraordinaires* (emprunts). En 1522-1523, le chancelier Duprat réorganisa toute l'administration centrale, très
complexe, avec le *Trésor de l'Epargne* (les gardes du Trésor
ou Trésoriers de l'Epargne), les 4 *Trésoriers de France* (domaines) et les 4 *Généraux des Finances* (impôts), pris parmi de
gros banquiers et gens d'affaires, les 3 Chambres des Comptes,
les 4 Cours des Aides, etc. Un surintendant des Finances
apparaîtra, en 1561, chargé, aidé du Conseil du Roi, de dresser
un budget embryonnaire de recettes et dépenses.

La Royauté afferme la plupart des taxes de circulation et de
consommation, ainsi qu'une part des revenus du domaine :
des financiers se groupent en « partis » pour prendre en adju-
dication (bail à ferme) telle ou telle taxe, en versant d'avance
et en bloc le montant au Trésor et se remboursent sur les
sujets : le roi leur donnant pouvoirs et appuis, ces fermiers
ou *traitants* sont des *officiers publics provisoires* (durée du bail).
Effrayante complexité, car chaque province a un régime spécial,
plus ou moins pesant ou favorisé, en matière d'*aides* (sur denrées
de consommation et ventes de marchandises), de *traites* (taxes
de circulation à l'exportation et à l'importation, très variées,
mais de plus en plus lucratives, par l'essor du commerce et une
meilleure gestion : 15 000 livres en 1523, 480 000 livres en 1597),
ou de *gabelle* du sel, monopole royal.

Mais pour l'impôt direct (taille, et taillon créé en 1549),
on multiplia les circonscriptions administratives : dans les

Elections, cantons fiscaux, des officiers appelés *Elus* (1) font par « chevauchée » la répartition de la taille entre les paroisses du ressort, puis les habitants se choisissent leurs *asséeurs* et *collecteurs* responsables de la levée (drames de la vie villageoise d'Ancien Régime) et qui en remettent le produit au *receveur des tailles* de l'Election. Au-dessus, en 1577, on créa 16 (puis 19, etc.) *Bureaux des Finances*, chacun comprenant des Trésoriers de France, chargés de la taille et des ponts et chaussées, des généraux des Finances, chargés des autres impôts, et des Receveurs généraux, choisis parmi les manieurs d'argent. On fusionna les deux premières charges et on parla de *Trésoriers généraux*. Leur circonscription fut appelée *généralité*, et les généralités devinrent les vraies circonscriptions administratives du pays, que se répartiront plus tard les Intendants. Tous ces officiers de finances font de bonnes affaires car ils prêtent au roi des avances sur les rentrées d'impôts, agissent en vrais banquiers...

Pour rappeler l'essentielle complexité des pouvoirs, évoquons les multiples juridictions spéciales : officialités épiscopales, amirautés, connétablie et maréchaussée de France avec les prévôts des maréchaux (police expéditive des grands chemins), gruyers des Eaux et Forêts, juges des Greniers à sel, etc. ; rappelons aussi qu'il y avait chevauchement inextricable dans la superposition des gouvernements, des « provinces », des parlements, des généralités, etc.

Malgré les théories des juristes, l'arsenal législatif des édits et ordonnances, l'armée des officiers de judicature et de finances, le roi du XVIe siècle a moins de puissance effective sur ses sujets que l'Etat libéral du XIXe sur ses citoyens. Si le roi gouverne, arbitre et légifère, le royaume s'administre lui-même par les officiers du cru.

(1) Au début, ils avaient été réellement élus par les Etats Généraux sous Jean le Bon, mais étaient devenus des officiers vénaux. La classique distinction entre *pays d'Elections* et *pays d'Etats* privilégiés pour le vote et la levée de l'impôt direct, valable sous Louis XIV, ne l'est pas au XVIe siècle, car il y a des Elections dans des pays qui ont encore des Etats : Normandie, Périgord, Bas-Limousin, Velay, etc.

CHAPITRE III

LES FIÈVRES ÉCONOMIQUES ET SOCIALES DU « GRAND SIÈCLE »

I. — Le tumultueux XVIIᵉ siècle

Rejetons définitivement la légende d'un xviiᵉ statique dans l'éclat d'une grandeur royale triomphante, dans l'harmonie d'un conformisme national unanime qui en ferait l'apogée de l'Ancien Régime, entre un xviᵉ siècle turbulent et déchiré et un xviiiᵉ négateur et dissolvant. On est ébloui par la façade monarchique du Louvre et de Versailles, la primauté française en Europe, la splendeur des œuvres classiques de l'art et des lettres, mais il faut lever le rideau et voir le jeu des acteurs sur la scène, tragique avant tout, de nos villes et nos campagnes, où la guerre étrangère ou civile, les Frondes et les passages d'armées, laissent de sanglants sillages, ruines fumantes et friches désertes : il n'y a qu'à relire les hallucinantes pages documentaires de Gaston Roupnel sur la Bourgogne : près de trente ans de pillages, viols et massacres, écho fidèle des images de Jacques Callot.

Le Grand Siècle fut un siècle dur, peu sensible, où la bonne Sévigné narre placidement les atrocités de 1675 en Bretagne (« l'enfant mis l'autre jour à la broche par les soldats », simple incident), un siècle où tout fut drame et combat pour chacun, pour le Croquant ou le Nu-pieds des années 1636-1639, ou

pour ces lutteurs au jour le jour qui s'appellent
Sully, Richelieu, Colbert, Vincent de Paul, Pascal,
Molière ou Bossuet. Bien des courants s'affrontent
en de multiples chocs d'idées ou d'intérêts : dévots,
mystiques, jansénistes, molinistes, huguenots, car-
tésiens, libertins, ou bien bourgeois, officiers et seigneurs. Rien n'évoque la soi-disant sérénité d'un
siècle majestueusement et classiquement ordonné (1).

Grande est la tentation de schématiser, de dresser
un triptyque (2) : un premier XVIIe siècle continuant
largement le turbulent XVIe, celui d'Henri IV,
Louis XIII, Mazarin, ce *XVIIe siècle baroque*,
où bouillonnent Mysticisme, Ultramontanisme, Gallicanisme, Jansénisme, Préciosité, Libertinage, Tur-
lupinade, en de multiples Frondes, où voisinent
pêle-mêle, des *Héros* vivants ou fictifs, François de
Sales, Descartes, Saint-Cyran, Corneille, Retz, le
Grand Condé, Rodrigue ou le Grand Cyrus ; puis
un *XVIIe siècle classique*, de 1660 à 1685 environ,
avec le Roi-Soleil à son zénith, entouré de ses cons-
tructeurs appliquant la loi de l'ordre en toutes
choses, Colbert, Louvois, Vauban, Bossuet, Boileau

---

(1) V. notre *Siècle de Louis XIV* (coll. « Que sais-je » ?). V. pour
tous les problèmes du siècle : V.-L. TAPIÉ, *La France de Louis XIII
et de Richelieu* ; P. GAXOTTE, *La France de Louis XIV* ; Ph. SAGNAC,
La formation de la Société française moderne, t. I, 1661-1715 ; DUBY
et MANDROU, *Hist. de la civilisation française*, 2 vol. (1958) ; la synthèse de R. MOUSNIER, *XVIe et XVIIe siècles* (Coll. « Crouzet »,
Presses Universitaires de France) ; Gaston ROUPNEL, le grand initiateur et précurseur de tant de monographies sociales et régionales,
avec *La ville et la campagne au XVIIe siècle : les populations du
Pays dijonnais* (1922, rééd. 1955) ; les *Caractères originaux de l'hist.
rurale française*, de Marc BLOCH (2 vol.) ; La collection des *Annales
E.S.C.* aux articles suggestifs ; les thèses monumentales de R. MOUS-
NIER, H. FRÉVILLE, G. LIVET, P. LÉON, P. GOUBERT, etc., qui lèvent
peu à peu le voile couvrant notre vie sociale au XVIIe siècle, comme
les études économiques de J. MEUVRET dans diverses revues, les *His-
toires religieuses* de DANIEL-ROPS, de FLICHE-MARTIN-PRÉCLIN-
JARRY, de DELARUELLE et LATREILLE, etc., enfin l'indispensable
revue *XVIIe siècle*, Bulletin de la Société d'Etude du XVIIe siècle,
24, bd Poissonnière, Paris, IXe, avec ses numéros spéciaux consacrés
à diverses questions fondamentales et sa riche bibliographie critique.
(2) H. MÉTHIVIER, Essai d'analyse et de périodisation du
XVIIe siècle français (*Inform. hist.*, 1962, nos 2 et 3).

et Le Brun, irradiant une splendeur sereine sur l'Europe séduite et conquise ; enfin une *Fin du Règne*, déclin et couchant de l'astre de Versailles, toute en misères, échecs et faillites (1).

Or, nos actuels chercheurs, précisant une réalité complexe, sont au premier abord déconcertants : R. Mousnier voit au xviie siècle des crises en tous genres (spirituelles, intellectuelles, économiques, sociales, politiques) et le mot *crise* revient en leit-motiv ; R. Mandrou appelle les années 1660-1680 les *temps difficiles*, et Pierre Léon dégage les élé-ments de la crise finale jusqu'en 1715 ; mais Pierre Goubert (*Louis XIV et vingt millions de Français*, Fayard, 1966) est bien plus nuancé : tel est le xviie siècle haletant dans sa fiévreuse Passion.

II. — Oscillations économiques et démographiques

En toile de fond, la pénurie grandissante d'espèces monétaires (par les guerres et la baisse de la pro-duction minière) et les mouvements des prix. La hausse du xvie siècle continue jusqu'à environ 1630, suivie d'une phase étale de marasme 1630-1650, et la courbe s'infléchit en une phase B jusque vers 1685, toujours variable selon les denrées et les régions, qui se continue, plus ou moins déprimée jusque vers 1730, mais coupée de *hausses spasmo-*

(1) V. sur l'ensemble du sujet l'ouvrage brillant et pénétrant de Paul BÉNICHOU, *Morales du Grand Siècle* ; Antoine ADAM, *Hist. de la Littérature fr. au XVIIe siècle* (notamment le t. V), et l'ouvrage parallèle et suggestif de René BRAY ; Paul HAZARD, *La crise de la Conscience européenne, 1680-1715* ; l'ouvrage de R. PINTARD sur le *Libertinage érudit*, et les riches travaux de J. ORCIBAL et de l'abbé L. COGNET sur tous les aspects religieux du xviie siècle français. L'esprit et la structure de l'Eglise sont à voir surtout chez Mgr V. MARTIN, *Le Gallicanisme et le Clergé de France* (1929), le P. BROUTIN, *La Réforme pastorale en France au XVIIe siècle* (2 vol., 1956), le P. BLET (*Les Assemblées du Clergé de France*), le P. PÉROUAS, *Le diocèse de La Rochelle de 1648 à 1724* (S.E.V.P.E.N., 1964) et Jeanne FERTÉ, *La vie religieuse dans les campagnes pari-siennes, 1622-1695* (1962).

diques en flèche, en 1693-1694, 1698, 1709-1710, 1720, 1725...

La *seigneurie*, qui réglait les rapports juridiques entre les habitants d'une unité terrienne, pèse toujours fortement sur le monde rural : il est rare qu'un terroir ou finage de village appartienne à un seul seigneur, car les seigneuries, grandes ou petites, sont souvent morcelées. Le seigneur perçoit toujours les fermages, métayages ou champarts de son domaine proche, les cens, rentes, banalités, lods et ventes des tenanciers de sa mouvance ; et la seigneurie, dont la force politique a faibli par le grignotage des officiers royaux, reste une force économique par ses ponctions coutumières sur le travail agricole, mais une fortune seigneuriale n'est faite que d'une foule de petits revenus dont la perception (et l'emploi s'il s'agit de rentes en nature) exige une gestion méthodique. D'où la négligence de nombreux seigneurs, l'oubli et la prescription de certains droits seigneuriaux. Les seigneuries ne prospèrent qu'entre les mains de familles ayant d'autres revenus (négoce) et qui placent dans un fief terrien le surplus de leurs gains et leur expérience des affaires. Le domaine *éminent*, hors les droits de mutation et de justice, rapportait peu, mais était la plus tangible survivance de la « féodalité » et maintenait la puissance sociale de la Noblesse ; mais le domaine *utile* était fructueux, d'où le rachat de tant de métairies par d'anciens et nouveaux seigneurs et la reconstitution de domaines « proches » loués à bail. Mais les familles de fortune purement « seigneuriale », donc n'ayant que la « directe » d'une mouvance, en sont réduites à « fumer leurs terres » par des alliances dans la Robe ou la Finance. Cependant, sous Louis XIV, la vieille Noblesse bénéficie d'abord de la baisse des prix par de moins lourdes dépenses somptuaires (sauf à la Cour), mais elle est très vulnérable aux crises agricoles qui tarissent largement ses rentes, et elle est désarmée devant les hausses intercycliques et catastrophiques de la fin du règne.

Au cours du siècle, pendant la hausse avant 1640, favorable aux gros producteurs, et pendant la baisse au temps de Louis XIV, le regroupement des domaines se poursuit lentement, tant pour la propriété juridique que pour les types d'exploitation, car le seigneur peut malgré tout attendre pour vendre son grain ou son vin et profiter des courbes des prix, ce que ne peut faire le tenancier ou le métayer. Il faut sans doute, selon Marc Bloch, distinguer deux types de seigneurs : ceux qui amènent à la terre des capitaux gagnés ailleurs (tel Colbert), et ceux qui tirent de la seigneurie tous leurs revenus (telle Mme de Sévigné) et ceux-ci, vivotant des fruits de leurs terres, ne pouvant racheter des parcelles de tenures, cherchent à enclore des *communaux* par droit de « triage », portant sur un *tiers* de ces biens.

Economiquement, la seigneurie vit de l'agriculture, directement pour les exploitants, indirectement pour les rentiers du sol, seigneurs et décimateurs. La technique agricole ne permet pas alors de produire au delà d'un niveau à peine suffisant ni d'éviter les à-coups brutaux de récoltes. Les cultures essentielles sont, outre les spécialités locales alors très répandues (chanvre, lin, garance, pastel), la vigne et le *bled* qui désigne toute céréale panifiable, le froment étant un luxe de riche ; les céréales secondaires dominaient et l'on cultivait beaucoup de *méteil*, mélange de graines céréalières (froment, seigle, orge, avoine), millet et sarrazin dans l'Ouest et le Centre, maïs dans le Sud-Ouest. La nourriture paysanne consistait surtout en pain noir, galettes, fouaces, bouillies, soupes, laitages et fromages, avec fèves, châtaignes, pois et lentilles, le tout agrémenté de lard et de gélines aux jours de fête.

Les problèmes paysans. — D'abord *emblaver* le plus de terre possible, en vue du pain source de la vie, d'où le rite ancestral de la croix marquée au couteau sur la miche qu'on entame. De là aussi les arrachages périodiques de vigne sur ordre officiel. La pâture es⁺ pauvre et le bétail, maigre (2/3, ou 1/2 du poids des bêtes du XXᵉ siècle), ne peut paître que les jachères, les terres« vaines et vagues», les landes et bois communaux, ou user du droit de « parcours » et de « vaine pâture » après la récolte. Le *problème de la fumure* est un circuit infernal : bétail chétif et peu nombreux, paille pauvre, manque de fumier, donc d'engrais ; on ne peut engraisser le bétail, et le bétail ne peut engraisser le sol. Pour réparer et nourrir ce sol, c'est la *jachère* un an sur deux dans le Midi, sur trois dans le Nord, mais on voit souvent et un peu partout des parcelles en culture 3 ou 4 années sur 10... Travail peu productif (on attelle la vache ou le cheval étique ; le bœuf de trait est signe d'aisance), on se sert d'araires qui égratignent le sol plus qu'elles ne labourent (la charrue est un outil de riche plaine) ; on travaille surtout à la main (bêche, houe, faucille, fléau). On forçait sur la semence pour compenser le manque d'engrais, et les tiges étouffées s'étiolaient, d'où la maigre paille et le médiocre rendement : 5, 4 ou 3 pour 1.

Cette population chétive, sous-alimentée, vulnérable aux épidémies fréquentes, de vie brève (vieillesse des « barbons » quadragénaires), tend toujours à dépasser les subsistances, au bord de la famine, lors des crises agricoles. Le paysan, en raison de l'impôt royal, des dîmes, des rentes seigneuriales ou de son fermage, est soumis à des débours réguliers e⁺ numéraire, et pour y faire face, est contraint de vendre : or les prix baissent après 1640 sans que les débours diminuent. En outre, il est victime de la baisse saisonnière après récolte, car il est pressé de vendre alors que les gros producteurs ou rentiers du sol peuvent attendre ; il est aussi victime des écarts de hausse, car s'il n'a pas assez produit pour sa consommation familiale, il lui faut acheter des grains ou du pain, et si même il a assez produit au départ pour subsister, il a souvent dû vendre en hâte une grosse part de sa récolte. Le paysan doit alors emprunter, s'endetter, vendre de la terre, ou bien rallier la grande armée des *errants*.

Sur une société aussi vulnérable aux moindres écarts des prix, des saisons, des intempéries, les variations de la conjoncture entraînaient d'immenses conséquences sociales et démographiques. On distingue dans ces fluctuations des mouvements de courte et de longue durée que l'on commence à discerner :

a) *Les mouvements de courte durée.* — Ces crises intercycliques, accès de fièvre au cours d'une longue phase de hausse ou de baisse, sont dues aux accidents météorologiques, agricoles, monétaires et démographiques. Toutes ces crises de l'Ancien Régime remontaient d'abord à la terre et à ses conditions momentanées de production. La quasi-monoculture céréalière suffisait, avec deux mauvaises années de suite, à provoquer la famine et la « mortalité ». Pas d'année sans qu'une province fût frappée et le Royaume était parfois touché tout entier : excès de sécheresse ou d'humidité, grêles, inondations, gel tardif (le gel même paralysait les moulins à eau et le transport des grains). On eut les grandes *mortalités* du siècle : 1629-1630, 1636-1637, 1648-1651 (n'influa-t-elle pas sur la Fronde ?), 1660-1662, 1693-1694, 1698, 1709-1710, avec hausse en flèche du prix des blés : 300 % à Beauvais en 1693. Remèdes imparfaits et difficiles : œuvres de charité publique et privée ; le « pain du roi » gratuit à Paris en 1693-1694... des importations de « choc » de grains de Pologne ou de Berbérie, palliatifs insuffisants.

Ces famines favorisaient toujours les « pestes » (varioles, typhus, choléra, fièvre « pourpre »), multipliaient la mortalité par 4 ou 5, fauchaient parfois 25 à 35 % des habitants, multipliaient aussi le nombre des vagabonds, déjà normalement fort. Les campagnes étaient plus frappées que les villes, où il y avait des stocks de réserve : les villageois mangeaient alors ces *racines* et ces *herbes* dont parlent tant les vieux textes, c'est-à-dire diverses sortes de raves et de légumes plus ou moins sauvages. On note aussi deux ou trois fois plus de décès dans le menu peuple que chez les riches, mieux pourvus. Des pays voisins sont inégalement frappés : le plateau picard, terre à blé très peuplée, a des mortalités bien plus fortes que le pays de Bray, région de polyculture et d'élevage laitier, exemple qui illustre la fragilité de la vieille paysannerie de monoculture céréalière. De même les registres paroissiaux montrent que les enfants paient le plus gros tribut, et la « mortalité » entraîne la chute des mariages et des naissances (souvent plus de 50 %), de 16 à 30 ans plus tard la diminution des mariages et des naissances. Dès le retour des bonnes récoltes, de nouveau les enfants foisonnent, et c'est un nouveau bond démographique.

La disette enfin engendre la *crise*, raréfie la main-d'œuvre, la production agricole et artisanale, les commandes commerciales, d'où le chômage et la misère des artisans, la baisse des recettes fiscales de tous ordres, la détresse du Trésor royal : il subsiste un prolétariat sous-alimenté des villes et des champs, candidat à la mortalité de la prochaine disette.

On a suggéré que le seul accroissement normal de la population pouvait suffire à accroître la demande et les besoins au delà du volume peu élastique des subsistances, d'où des poussées subites de hausse avec vague consécutive de « mortalité » par misère, d'où par enchaînement un retour à la baisse par diminution de la consommation : peut-être. R. Mousnier et P. Goubert insistent sur l'orientation des recherches à travers les registres paroissiaux, les mercuriales, les archives notariales et les livres de raison : déterminer si, hors des accidents climatiques, la poussée démographique ne précède, puis n'accompagne pas la hausse des prix, et si la diminution de population ne précède pas la baisse. Un point sûr : l'accroissement de la population la rendait plus sensible aux disettes et aux causes de grande mortalité (1).

b) *Les mouvements de longue durée.* — Faute de dénombrements suffisants, il est très difficile d'esquisser les courbes démographiques du siècle. Il semble bien qu'il y aurait jusque vers 1648 une poussée d'ensemble haussant la population autour de 20 millions d'âmes. A partir de 1649 et de la Fronde, renversement et chute démographique semi-catastrophique. Dans l'ensemble, *la période 1650-1720 voit diminuer la population*, phénomène d'ailleurs européen. L'exemple du Beauvaisis (P. Goubert) décèle une chute de 20 à parfois 50 %, baisse démographique accompagnée d'appauvrissement de tous les milieux sociaux : la noblesse rurale s'endette, marie ses filles

---

(1) V. La revue *Population*, oct.-déc. 1958. Les mêmes recherches amorcées par P. Goubert sous l'angle économico-social le sont par M. Fleury et L. Henry par pur intérêt d'histoire démographique. On amorce aussi d'intéressantes recherches d'histoire climatique : E. Le Roy-Ladurie, in *Annales E.S.C.*, janvier 1959 : Histoire et climat. Du même, Climat et récoltes aux XVIIe et XVIIIe s. (*Ann. E.S.C.*, mai 1960, pp. 434-465). — V. aussi R. Mousnier, Etudes sur la population de la France, in *XVIIe siècle*, no 16, 1952. Et l'exemple de J. Jacquart, La Fronde des Princes dans la région parisienne et ses conséquences matérielles (*R.H.M.C.*, oct. 1960). Synthèse de P. Chaunu, *La Civilisation de l'Europe classique* (Arthaud). Le no 70-71 de *XVIIe siècle* (1966) : J. Meuvret, J. Jacquard, P. Deyon, J. Y. Tirat, J. Delumeau, R. Pillorget.

à des laboureurs ou gros fermiers, impose à ses fils des métiers dérogeants pour sauver le patrimoine ; la baisse des fermages et de toutes les rentes foncières abaisse le pouvoir d'achat des rentiers du sol en même temps que de tous les exploitants agricoles. On note, un peu partout, qu'après 1650-1660, la situation de la gentilhommerie provinciale ira en empirant jusque vers 1730.

En 1700, Vauban estime la population à 19 millions, mais il la sous-estime, du fait du compte par « feux » ou à l'aide des registres de la Capitation et de l'omission de la masse des errants. Après le Grand Hiver de 1709, Forbonnais l'estimera tombée à 16 ou 17 millions. En tout cas, même inchiffrable avec précision, cette dépopulation est accompagnée d'une gêne monétaire et économique avec baisse générale des prix sauf aux « pointes » des « chertés » intercycliques.

Deux observations d'ensemble :

1) Les *mortalités* de 1649-1652, 1660-1662, 1693-1694, 1709-1710, suivies à retardement des « classes creuses » semblent plus fréquentes et plus graves que dans le premier XVIIe siècle.

2) La *phase A* de hausse des prix, continue jusqu'en 1640 (le « long XVIe siècle ») s'infléchit en une baisse qui se creuse au maximum vers 1690, suivie de hausses en dents de scie (inflation monétaire, disettes saisonnières) qui cachent mal le marasme réel. Depuis 1650, *phase B* de dépression, d'atonie et de restriction : les « temps difficiles » de Colbert qui lutte et stimule en fanfaronnant : « Gloire et munificence... Nous ne sommes pas en un règne de petites choses ! » Tout baisse : la quantité d'espèces (famine monétaire), la demande, la production, les profits, la population. Marasme aggravé par les mutations monétaires d'un gouvernement aux abois (Pontchartrain, 1689-1699) qui provoquent une cascade en chaîne d'inflations et déflations brutales désespérant producteurs et consommateurs, paralysant les échéances et les affaires, provoquant en séries crises, faillites, chômages avec tous leurs effets sociaux. Et Boisguilbert notera qu'en 30 ans le prix de la terre et des baux s'est effondré de moitié.

Certes, observe R. Mousnier, la houle des prix n'explique pas tout : dans la phase A comme dans la phase B séparées par le palier 1640-1650, il y eut de violentes oscillations. Par exemple : la mortalité de 1630 entraîna une baisse des prix (moins de demandes, après hausse momentanée), baisse qui alourdit les charges fiscales et concourut à l'explosion des révoltes populaires dont l'apogée culmine de 1636 à 1639. Et dans ces *émotions* insurrectionnelles qui s'échelonnent de 1623 à 1675 en secouant province après province, le renver-

sement de la conjoncture, de hausse en baisse, aurait joué
(outre les crises climatiques et épidémiques) un rôle essentiel : les masses sous-alimentées furent d'abord excédées des
impôts alourdis et des prix chers sous Louis XIII, et souffrirent
ensuite de prix trop bas pour pouvoir réunir l'argent nécessaire
au paiement des droits, des fermages et des impôts.

Il faudra multiplier les recherches locales pour nuancer et pré-
ciser le détail des courbes intercycliques, dégager les conjonctures régionales (géographie des prix) et pour établir les rapports
entre l'oscillation des prix et les oscillations démographiques (1).

III. — Villes et campagnes : exemples et sondages

Partout, c'est l'*embourgeoisement* progressif du
sol, le lent regroupement des biens ruraux par la
bourgeoisie citadine. La seigneurie des Rochers,
près de Vitré, y échappe péniblement et Mme de
Sévigné avoue que ses rentes ou redevances rentrent
très mal : les Sévigné, comme tant d'autres, hésitent
entre le faire-valoir direct (c'est le cas, avec un
régisseur, l'abbé Rahuel) ou l'amodiation en fermage du domaine proche, et, pour la « directe »,
entre le domaine congéable ou l'accensement à
perpétuité. En Haut-Quercy, la terre de Belcastel,
diminuée par les ventes, « n'échappa que de justesse
aux mains crochues d'un prêteur qui, naturelle-
ment, était un marchand du voisinage ». Partout,
robins, financiers et *marchands* achètent les terres
désertées ou endettées, seigneuriales ou paysannes,
à l'instar des magistrats et gros bourgeois de Dijon
qui rénovent tout le pays après les *ravages de la
guerre de Trente ans* et la *grande pluviosité des
années 1646-1666* : dans les villages dépeuplés

(1) Depuis les travaux de Fr. SIMIAND (1932), de Marc BLOCH, de
Lucien FEBVRE et de leurs disciples, ceux de Jean MEUVRET s'atta-
chent aux aspects économiques du grand siècle et au problème des
subsistances : *Mélanges d'Hist. sociale*, 1944, V, p. 27-44, *Journal de
la Soc. statist. de Paris*, mai 1944 ; *Revue d'H. mod. et contemp.*,
juillet 1956 (sur le commerce des grains à Paris), etc. L. ROTHKRUG,
Politique commerciale et fiscalité au temps de Colbert (*R.H.M.C.*,
avril 1961).

prédominaient les veuves, les mendiants et les manouvriers-journaliers.

— En *Bourgogne*, les néo-seigneurs préfèrent les baux de fermage et de métayage au vieux système des « rentiers » à redevances fixes en grains, et la proportion des métayers et journaliers augmente sans cesse par rapport aux laboureurs tenanciers ou « rentiers ».

— En *Bas-Languedoc*, la reconstitution de grands domaines par achats de seigneuries entières ou de métairies se fait surtout au profit d'officiers de Justice ou de Finances de Montpellier, avec extension des terres cultivées en blés. L'éviction des petits tenanciers a pour contrepartie la ruine de bien des villages dépeuplés (1).

— En *Brie*, le sol appartient à trois éléments : seigneurs de Cour, bourgeois parisiens, ou chapitres de chanoines bien rentés. Il y a élimination des petites tenures au profit de grands domaines affermés à des *laboureurs* élite paysanne riche (4 à 5 000) au-dessus des vignerons (env. 15 000), des journaliers (env. 17 000), des valets de ferme et des petits artisans ou boutiquiers (env. 25 000). Ce capitalisme agricole draine vers Paris le plus clair des revenus terriens, et cette prospérité rurale coïncide avec un déclin de l'activité artisanale et commerciale : les bourgeois propriétaires recherchent les achats *d'offices* en vue de leur promotion sociale... (2).

— Dans la *Région parisienne*, sur les plateaux à blés, même rassemblement de terres au profit de quelques seigneurs et surtout de bourgeois parisiens (placement de capitaux, sans compter le plaisir d'une maison des champs). Pour l'exploitation, le bourgeois-seigneur traite avec des fermiers « laboureurs », gros paysans, dont la richesse est surtout faite de cheptel et d'instruments aratoires. On cherche à commercialiser au maximum les produits réclamés par le marché parisien. Une hiérarchie s'établit dans la vie des paroisses : bourgeois, laboureurs, manouvriers. Au contraire, dans les vallées et leurs coteaux, se maintient une démocratie rurale de vignerons et d'horticulteurs-maraîchers (3).

(1) P. de SAINT-JACOB, *Documents sur la Communauté villageoise en Bourgogne...*, 1962 ; E. LE ROY-LADURIE, Montpellier et sa campagne..., *Annales*, avril 1957 et sa thèse, *Paysans de Languedoc* (1966).
(2) Emile MIREAUX, *Une province française au temps du Grand Roi : la Brie*, 1958.
(3) V. J. MEUVRET, Le commerce des grains et farines à Paris..., *R.H.M.C.*, juillet 1956 ; Marc VÉNARD, *Bourgeois et paysans au XVIIe siècle...* (rôle des bourgeois parisiens au sud de Paris),

— En *Beauvaisis* et *Picardie*, la technique agricole reste
faible et routinière : le rendement céréalier donne moins de
9 qx à l'hectare. Labours insuffisants et bétail médiocre avec
hiérarchie du cheptel : le cheval, réservé aux riches « laboureurs », la vache, rare et mal nourrie, le mouton enfin, typiquement picard. Dans l'Election de Beauvais, les paysans ont
moins de 10 ha, moins de la moitié du sol, et les plus mauvaises
terres, et s'endettent, malgré l'artisanat textile complémentaire : il faudrait une ferme de 15 à 25 ha pour faire vivre une
famille. On peut distinguer 3 périodes : une phase A d'euphorie
1600-1647 ; un renversement de la tendance accentué par les
mauvaises récoltes de 1649 et 1651 ; enfin marasme et lourdes
mortalités entre 1691 et 1710 : les vaincus sont les nobles et
les petits paysans, les gagnants sont les *laboureurs* qui ont
pu spéculer sur leurs produits céréaliers et les *bourgeois* qui
achètent les terres nobles. La « bourgeoisie rurale » s'affirme
victorieusement.

L'*industrie picarde* est surtout rurale et « tourne » à un rythme
agricole : les tixiers sont à la fois jardiniers et ouvriers. Chaque
année, il y a de « grandes vacances industrielles » (15 juillet-
15 octobre) pour moisson et vendange : tout le monde aux
champs. Mais, dans une Picardie surpeuplée, où les 3/4 des
paysans ne possèdent pas le 1/10 des terres, le seul appoint
possible est le travail de la laine ou du lin. En 1708, sur plus
de 8 000 métiers battants, il n'y en a que 3 000 dans les villes,
avec « jurandes » organisées. Des dizaines de milliers de ruraux
appartiennent aux « manufactures » capitalistes, mais hors des
corporations urbaines. Les grands marchands d'Amiens et de
Beauvais contrôlent ces fabriques et leurs dynasties dominent
toute la vie régionale.

La courbe industrielle n'est pas inattendue : à Beauvais,
1 000 métiers avant 1640, 600 sous Louis XIV, 900 environ
après 1715 : même courbe à Amiens, alors 1re ville textile de
France avant Reims, Rouen et Beauvais. Les étoffes les plus
grossières et les moins chères se vendent le mieux sous
Louis XIV, là encore, période de repli, avec disparition des
petits fabricants indépendants, devenus chefs d'ateliers, souvent endettés et fournisseurs à façon des gros négociants.

S.E.V.P.E.N., 1957 ; M. PHLIPPONNEAU, *L'évolution histor. de
la vie rurale dans la banlieue parisienne* (thèse 1955). Michel FON-
TENAY, Paysans et marchands ruraux de la vallée de l'Essonne
au XVIIe siècle (*Mém. Soc. hist. Paris et Ile-de-France*, t. IX, 1957-58).
P. BRUNET, *Structure agraire et économie rurale entre la Seine et
l'Oise* (1960). Guy LEMARCHAND, Crises écon. et atmosphère sociale
en milieu urbain sous Louis XIV (*R.H.M.C.*, juill. 1967).

Il paraît y avoir, comme dans les ports (1), *renforcement du capitalisme commercial* dans l'appauvrissement général et la *prolétarisation* de la main-d'œuvre (2).

IV. — La Société française
selon Porchnev et selon Mousnier (3)

L'historien soviétique Porchnev a utilisé les précieux papiers du chancelier Séguier conservés à Léningrad pour dresser l'inventaire des « émotions » populaires de 1623 à 1648 et pour tenter d'en dégager une interprétation de la structure politico-sociale de la France au xviie siècle. Les rapports des Intendants, à l'unisson, révèlent un *état insurrectionnel endémique* des paysans et ouvriers contre les agents du roi, les « gabeleurs », officiers de finances, fermiers d'impôts. Explosions sporadiques en chaîne, parfois antiféodales, toujours antifiscales : « Vive le roi sans gabelle ! » La cause profonde est l'hypertension du menu peuple sous-alimenté, au bord de la famine et du désespoir par les années de disette et de hausse des prix (suivie d'un affaissement) ; l'occasion est la « crue » de l'impôt, l'essai d'introduction des Elus au Quercy en 1624, en Bourgogne en 1630, en Pro-

(1) V. les études de JEULIN et de Gaston MARTIN sur Nantes, de TROCMÉ et DELAFOSSE sur La Rochelle, de L. VIGNOLS sur Saint-Malo.
(2) Pierre GOUBERT, *Le Beauvaisis de 1600 à 1730* (thèse, 1958) ; Les techniques agricoles dans les pays picards aux xviie et xviiie siècles (*Rev. d'H. écon. et soc.*, 1957, I) ; Aspects sociaux des Manufactures picardes et beauvaisiennes au temps de Louis XIV (*Bull. de la Soc. 'H. m. c.*, mai 1953), outre les travaux de BOISONNADE (Colbert...) et de COORNAERT (Les « Manufactures » de Colbert, in *Inform. Hist.*, janvier 1949). B. GILLE, *Origines de la grande industrie métallurgique en France* ; Pierre LÉON, *Naissance de la grande industrie en Dauphiné* (t. I), thèse, 1954. P. DEYON, La production manufacturière en France au xviie siècle et ses problèmes (*XVIIe siècle*, no 70-71, 1966).
(3) V. l'art. fondamental de Roland MOUSNIER, Recherches sur les soulèvements populaires en France avant la Fronde, *R. H. mod. cont.*, avril 1958, pp. 81-113 ; et Robert MANDROU, Les soulèvements populaires et la Société française du xviie siècle, *Annales E.S.C.*, oct. 1959. — V. les pp. 11-14 du t. II de l'*Hist. de la civilisation française*. de R. MANDROU et surtout R. MOUSNIER, *Fureurs paysannes*, *XVIIe s.* (Calmann-Lévy, 1967).

vence et Languedoc en 1630-1631. Qui pourra y
déceler la volonté d'un plan systématique de
réforme fiscale unificatrice en réduisant les pays
d'Etats en pays d'Elections ? Et si l'auteur en fut
Marillac ou Richelieu ? On sait qu'à la fin ce dernier transigea partout. On connaît les années de
paroxysme : les révoltes urbaines (Dijon, Aix, Lyon)
de 1630-1632, le mouvement des *Croquants* de 1636
en Périgord, Limousin, Saintonge, etc., les *Nu-
pieds* de Normandie en 1639, l'année 1643 où le
soulèvement fut général dans tout l'Ouest, le Centre
et le Sud-Ouest (1).

D'après Porchnev, il y aurait un « front de classes », un
bloc Monarchie-Noblesse-Bourgeoisie pour défendre l' « ordre
féodalo-absolutiste » contre les masses populaires. Les révoltes
et jacqueries seraient à la fois antiféodales et antifiscales du
fait de l'alliance des classes possédantes et dirigeantes, nobles
ou bourgeoises, soutenues par l'armature monarchique. La
structure sociale est restée toute *féodale* et le capitalisme,
freiné par les privilèges et la monarchie, n'affecte que les villes.
La bourgeoisie n'a pu devenir dirigeante qu'en se haussant
et se fondant peu à peu dans la noblesse, en se glissant dans
l'Etat aristocratique : « La vénalité des offices n'a pas conduit
à un embourgeoisement du pouvoir mais à une « féodalisation »
d'une partie de la bourgeoisie. » Porchnev précise : « La vénalité
des offices fut un moyen d'éloigner la bourgeoisie du combat
révolutionnaire contre le féodalisme. » L'officier de souche
bourgeoise, qui vit « noblement » de sa « dignité » et « qualité
d'honneur » (Loyseau), est un instrument des nobles d'Etat
dont le type est Richelieu.
Mousnier reprend le schéma classique de G. Pagès : la Monarchie a dépouillé les féodaux de la puissance publique à l'aide
de ses officiers bourgeois ; elle dut au XVIIe siècle peu à peu
ruiner la puissance des officiers au moyen des commissaires
(recrutés dans les mêmes milieux), mais les officiers cherchè-
rent à se défendre, d'où la Fronde. Il est bien vrai que la
noria sociale a fonctionné à plein, qu'il y eut ascension continue

---

(1) Y. BERCÉ, Les soulèvements populaires dans le Sud-Ouest
de 1630 à 1643 (*Pos. Thèses, Ec. Chartes*, 1959). Monique DEGARNE,
La révolte du Rouergue en 1643 (*XVIIe siècle*, 1962, n° 56).

d'une fraction bourgeoise intégrée peu à peu dans la Noblesse par les terres, les mariages et les offices, que la Robe rivalise, puis se lie avec l'Epée. Mais Porchnev omet ou confond plusieurs points :

a) Il qualifie *féodal* ce qui est *seigneurial*, confusion de termes : dans la France du xviie siècle, il n'y a plus de domaines médiévaux vivant en économie fermée fondée sur le travail servile, mais une paysannerie économiquement dominée mais juridiquement libre et souvent propriétaire, et le capitalisme fait régner partout une économie d'échanges, même dans les campagnes où les paysans-artisans, travaillant pour les gros marchands-fabricants, sont légion. Les privilèges et monopoles octroyés aux grands marchands, loin de freiner le capitalisme, le stimulent à ce stade primaire, car les prix concurrencés auraient été trop bas pour être rémunérateurs.

b) Un officier important est juridiquement un noble, certes, mais n'est jamais alors regardé comme un gentilhomme, et l'on ironisait : « Gentilhomme de plume et d'encre. » Loyseau s'affligeait que les officiers ne fussent pas considérés comme de vrais nobles, même s'ils ont acquis marquisats ou baronnies (1). Et, en ce qui touche l'autorité de l'Etat, la Monarchie, dit Mousnier, est certainement bien différente quand son Conseil est formé d'une majorité de nobles d'Epée et quand au xviie siècle il est formé d'une majorité de robins.

c) Porchnev voit dans ces rébellions une lutte de *classes à structure horizontale* en couches superposées. Or, s'il n'y a plus économiquement ni politiquement de féodalité, il en reste bien des vestiges dans la structure mentale, morale et sociale du temps comme en témoignent à la fois l'existence des *clientèles* et *parentèles* provinciales autour d'un *grand* et les vendettas d'« honneur » et de « gloire » de tous les « héros » de Corneille dressés contre la « tyrannie ». Bien des nobles justifiaient ainsi leur rébellion par fidélité : *Je suis à* M. de Rohan, ou à M. de Montmorency, etc. On pourrait plutôt parler d'une Société *verticale*, car tous les rapports d'Intendants sont formels : si les miséreux des villes et des campagnes

_____

(1) Paradoxal est F. Bluche quand, dans un suggestif article (*XVIIe siècle*, n° 42, 1959), il prend le contrepied de Saint-Simon (le « règne de vile bourgeoisie ») en avançant : « Louis XIV a gouverné sans recourir à la collaboration d'un seul bourgeois. » Juridiquement vrai, socialement non ; et Colbert pouvait bien être noble au 2e degré, il ne fut jamais un gentilhomme aux yeux de son temps. Les ministres de Louis XIV, tous de qualité nobiliaire et riches de seigneuries, faisaient figure de parvenus. On déplorait que la *vraie* noblesse des gentilshommes fût sans emploi dans l'Etat, hormis l'armée.

forment les troupes de choc, il y a pour les encadrer ou les pousser bien des gens que nous dirions de la « classe moyenne », parfois des membres du bas Clergé, et toujours pour les conduire des gentilshommes. S'il est vrai qu'il y eût quelques jacqueries, on note au contraire la collusion et la complicité générale entre seigneurs et paysans, car ils ont des intérêts communs contre l'impôt royal et les agents du roi : en année normale, l'impôt royal accru limite d'autant les rentes ou fermages que le paysan peut verser au seigneur. En année mauvaise (ou en cas de chute des prix), l'impôt royal empêche le paysan de payer fermages, champart ou redevances.

Le seigneur excite le paysan à refuser l'impôt : il est proche, puissant, bien entouré de ses amis, parents et protégés, armé de ses droits de justice, et le paysan a plus d'intérêt à suivre le seigneur qu'un roi lointain. La rébellion commence toujours par des violences contre les collecteurs d'impôts ou les commis des fermes. L'impôt ne se recouvre plus qu'avec la force armée, et la rébellion jouit souvent de la complicité tacite ou active de certains officiers du roi : des magistrats d'Aix, en 1630, ou ceux du Parlement de Rouen en 1639 par exemple. Il est vrai ici que, comme dit Porchnev, bien des officiers se « féodalisent » pour s'intégrer à la Noblesse, que les hauts robins anoblis, ces parlementaires « métis sociaux », mi-bourgeois mi-seigneurs, défendent des privilèges et même un « ordre féodal » quand ils plaident pour une Monarchie « tempérée » contre la fiscalité durcie de Richelieu et de Mazarin.

Mais loin d'observer une alliance Monarchie-Noblesse contre le menu peuple, on voit partout entente du peuple et des seigneurs contre le roi « coupable de lever l'impôt » pour la Défense nationale contre l'Espagne. Et le roi dut renforcer l'Etat absolu par l'emploi systématique de commissaires de son Conseil, les *Intendants*, pour contraindre à l'obéissance la « populace », les nobles d'humeur « féodale » et les officiers d'humeur nobiliaire en les dépossédant d'une part de leurs pouvoirs et fonctions. C'est là la grande incidence politique des conditions sociales du XVIIe siècle.

V. — Le bilan social vers 1715

L'histoire sociale est en retard sur l'histoire économique et il faudra multiplier recherches et enquêtes locales, mais on peut déjà dégager de multiples incidences sur la vie sociale et ses bouleversements, d'où des ascensions et des régressions, des profiteurs et des sacrifiés :

a) Les *perdants* : d'abord la *gentilhommerie rurale* aux familles nombreuses et besogneuses qui s'épuisent au service du roi. Celui-ci la soutient chichement par des pensions aux vieux officiers... et des croix de Saint-Louis, des prieurés ou prébendes ecclésiastiques pour ses cadets et Saint-Cyr pour ses filles. Elle vit dans ses terres, de ses fermages ou de ses censives, sans guère profiter de la hausse spasmodique du prix des grains. Puis la *moyenne et petite bourgeoisie* des métiers, par le marasme des affaires et du commerce de luxe ; enfin la *paysannerie*, frappée par la baisse moyenne des prix du blé et du vin, les aliénations de biens communaux (1), les impôts accrus, les prestations multiples, parfois la milice (après 1688). On peut toutefois distinguer, au-dessus de la misère des métayers, censitaires et journaliers, l'aisance relative des « laboureurs » et gros fermiers spéculateurs. Ajoutons le chômage artisanal. Et tout cela explique les explosions populaires, les *peurs* échelonnées de 1700 à 1713 qui préfigurent 1789, jettent des foules de miséreux ou d'errants sur les magasins de grains, contre les « gabeleurs » et les « maltôtiers ». Sur cette misère générale, les plaintes de Fénelon, de Vauban et de Boisguilbert rejoignent les enquêtes officielles de 1687 et de 1698, les doléances des évêques et des curés.

b) Les *gagnants* sont, d'une part, la *Haute Bourgeoisie* des « gens d'affaires », banquiers et financiers, fermiers généraux, trésoriers ou receveurs généraux (tous les « Turcaret » qui prêtent au roi : un Samuel Bernard, un Crozat, un Legendre), les fournisseurs aux armées (les frères Pâris), des armateurs malouins ou nantais et des concessionnaires de monopoles ; d'autre part, la *Haute Noblesse* de Cour qui profite du voisinage et des grâces du roi, ou celle de Robe qui s'enrichit dans les terres (2). La Noblesse entretenue et domestiquée s'oppose à la Noblesse rurale indigente et la seule possession de l'argent brise les vieilles stratifications sociales : tels les rapports personnels du Grand Roi et de Samuel Bernard.

(1) Effet de l'endettement des communautés villageoises et des abus du droit de triage pas les seigneurs, malgré l'édit de 1667.
(2) Guy RICHARD, Un aspect de politique écon. et sociale : Noblesse et commerce (*XVIIᵉ siècle*, nº 49, 1960). Daniel ROCHE, Fortune et revenus des princes de Condé à l'aube du XVIIIᵉ siècle (*R.H.M.C.*, juill. 1967).

Chapitre IV

LES FORCES POLITIQUES
DU « GRAND SIÈCLE »

I. — L'idée de Nation au XVIIe siècle (1)

Les liens de *fidélité* au roi formaient encore l'essentiel de la cohésion nationale, car les « provinces » étaient liées à la Couronne à des titres divers : on parlait toujours d'une nation bretonne, d'une nation provençale, etc., et l'on pourrait parler d'une structure *fédérale* du royaume tant les statuts des divers pays constitutifs étaient variés. Il y avait de multiples vies provinciales, cloisonnées dans leurs dialectes, leurs poids et mesures, leurs coutumes et leur éloignement, qui les rendaient étrangères les unes aux autres. Le *Dictionnaire* de Furetière notait le mot de *patrie* comme d'usage récent (1690) et les distinctions des pays de droit romain et de droit coutumier, de pays d'Etats et de pays d'administration directe, de pays de gabelle et de franc-salé, créaient autant de patries locales,

(1) Outre les manuels précités des Presses Universitaires de France (la coll. « Ellul » sur les *Institutions* et la coll. « Touchard » sur les *Idées politiques*) pour l'ensemble du chapitre, v. surtout *L'Education politique de Louis XIV*, de LACOUR-GAYET ; *Le Roi et ses ministres*, de P. VIOLLET ; les rapports de Fr. HARTUNG et de R. MOUSNIER au Congrès de Rome, 1955 (*Relazioni*, t. IV) et les recueils fondamentaux d'articles de la revue *XVIIe siècle* : Comment les Français voyaient la France au XVIIe siècle (nos 25-26, 1955), par R. MOUSNIER, V.-L. TAPIÉ, A. MARTIMORT, J. MEUVRET, G. LIVET ; Serviteurs du Roi : quelques aspects de la fonction publique dans la Soc. fr. du XVII siècle (*XVIIe siècle*, nos 42-43, 1959), par R. MOUSNIER, F. BLUCHE, A. CORVISIER, P. GOUBERT et V.-L. TAPIÉ. Le Droit au XVIIe siècle, no spéc. de *XVIIe siècle* (1963, no 58-59), mise au point institutionnelle. P. GOUBERT, *Louis XIV et vingt millions de Français* (Fayard, 1966).

tout comme les souvenirs féodaux ou la langue d'oc.
Mais l'idée unitaire faisait son chemin à travers
l'action d'une élite humaniste, intellectuelle, juriste
et « officière ». Sous Henri IV et Louis XIII, ce nationalisme tout monarchique, concrétisé par l'appartenance au royaume de France et la sujétion au
fils de saint Louis, « thaumaturge » et sacré par
l'onction miraculeuse, était célébré par les plumes
enthousiastes du magistrat angevin Poisson de
La Bodinière (1597) comparant déjà la Majesté
royale de France au Soleil, du juriste nivernais
Guy Coquille précisant : « Le roy est le *chef* et le
peuple des Trois Ordres sont les *membres* et tous
ensemble font le *corps politique et mystique* dont la
liaison et union est inséparable... », de l'illustre
Ch. Loyseau proclamant (1610) qu'il se fait de
plusieurs Ordres un ordre général et que « par
l'Ordre un nombre innombrable atteint à l'unité »,
du magistrat parisien Jérôme Bignon exaltant (1610)
« l'excellence des rois et du royaume de France »,
de Lhommeau du Verger proclamant que « le roi
de France, monarque souverain, est le premier des
princes chrétiens... après Dieu, duquel il est l'image
en terre et tient de lui sceptre et puissance » (1612),
du conseiller d'Etat Cardin Le Bret (1632) affirmant
que la souveraineté du roi est « non plus divisible
que le point en géométrie ». Tout aura été dit sur
le Roi-Héros, le Roi vice-Dieu (1), le Roi-Dieu enfin,
après André Du Chesne, Omer Talon, Le Vayer
de Boutigny et combien d'autres, quand paraîtra
bien tard l'œuvre posthume et didactique de Bossuet
sur la *Politique tirée des propres paroles de l'Ecriture
sainte* (1709). Il en résulte que ce roi, suprême incar-
nation de Dieu et de l'Etat, doit être obéi par tous,

---

(1) Selon l'évêque-poète GODEAU (*Catéchisme royal*, 1659).

que la patrie est en lui, parce que, dit Louis XIV
lui-même, « la nation ne fait pas corps en France »,
étant tout entière « en la personne du roi ». Si La
Rochelle est abattue par Richelieu, c'est moins
pour sa foi protestante, d'ailleurs tolérée, que pour
ses remparts et ses privilèges, sa prétention d'être
une république municipale autonome, maîtresse
de sa flotte et de ses relations extérieures. Un
parti s'intitule alors celui des « Bons Français »,
avant tout soucieux de défendre face à l'Espagne
l'indépendance du Roi Très Chrétien contre « les
complaisances des dévots » à ménager l'intérêt des
puissances catholiques. Plus tard, Bossuet dira,
très moderne : « Si on doit exposer sa vie pour sa
patrie et pour son *prince*, à plus forte raison doit-on
donner une partie de son bien pour soutenir les
charges publiques. » On sait combien cet appel au
devoir fiscal eut peu d'écho en ce siècle (1) ; on
sait comment les Grands (un Gaston d'Orléans,
un Condé) traitaient les questions nationales en
« affaires de famille » et, pour venger leurs injures,
faisaient appel à la solidarité des noblesses étrangères. Il fallut peu à peu les contraintes fiscales, militaires, bureaucratiques pour imposer et façonner,
sous Richelieu et Louis XIV, l'unité nationale. La
gloire guerrière contribuera à cette consécration,
mais avec les échecs, le Grand Roi se tournera aux
heures tragiques de 1709 vers ses sujets, ses « enfants » dira-t-il, pour justifier sa politique et leur
demander une sorte de consentement : signe des
temps. L'obéissance aveugle et la fidélité ne consti-
tuent plus l'essence de l'amour de la patrie, et Saint-
Simon applique à Vauban l'épithète neuve de
patriote parce qu'il est « touché de la misère du

(1) J. MEUVRET, Comment les Français voyaient l'impôt au
XVII⁰ siècle, in *XVII⁰ siècle*, n⁰ 25, 1955.

peuple ». Et le vieux Louis XIV lui-même, en célé-
brant l'héroïsme de la Nation, reconnait enfin par
là son existence propre, hors de sa Couronne même.

II. — L'idée de l'État et son évolution (1)

Les principes de la divinité et de l'absolutisme
du pouvoir royal restent immuables chez les
juristes, les théologiens et la plupart des sujets. Il y
eut pourtant des réticences, des « refus », des dissidences, surtout d'origine aristocratique, dans l'Epée
et dans la Robe, et vers la fin du siècle, d'origine spirituelle, catholique ou protestante, en face du conformisme monarchique national, alors qu'il y avait dur-
cissement de l'absolutisme étatique et centralisateur.

1. **L'évolution gouvernementale.** — Après le
gouvernement à larges Conseils du XVIe siècle, le
XVIIe a connu deux aspects du pouvoir absolu : de
1610 à 1661 un régime bicéphale avec, à côté du
souverain (et l'ombrageux Louis XIII n'est pourtant
tant pas un roi-soliveau), d'abord un favori, Concini,
Luynes, puis le régime du *ministériat*, avec comme
soutien de l'Etat et du roi maladif ou mineur, un
principal ministre d'Etat ou « souverain confident »
(Richelieu) au pouvoir absolu par délégation, mais
qui n'est rien sans le roi, ou la régente. On a en fait
un *gouvernement de cabinet*, avec des secrétaires
d'Etat, des Conseils administratifs et judiciaires,
et la multiplication des Commissaires et Intendants.
Après 1661, c'est la soumission des Grands et de
la Robe, la magistrature réduite à un rôle judiciaire,

(1) V. notamment R. MOUSNIER, Comment les Français du
XVIIe siècle voyaient la Constitution, in *XVIIe siècle*, n° 25, 1955, et
Lettres et Mémoires adressés au Chancelier Séguier (1633-1649), 2 vol.,
Presses Universitaires de France, 1964, avec étude du milieu gou-
vernemental. Etienne THUAU, *Raison d'Etat et pensée politique à
l'époque de Richelieu* (A. Colin, 1967). J. TRUCHET, *Politique de
Bossuet* (coll. « U »).

l'avènement du Roi-Dieu, d'un pharaon tempéré par l'idée chrétienne, avec un *régime monocratique*, et les ministres et les secrétaires d'Etat dépendent totalement de son bon plaisir (même si la première Triade ministérielle, précieux legs, est héritée de Mazarin) : les affaires ne passent plus que pour la forme devant les Conseils réduits à la routine administrative. Régime ultrapersonnel où le travail gouvernemental se fait en *tête à tête* entre le roi et le dignitaire ou « commis » spécialisé. Ainsi, peu à peu, par la multiplication des affaires et des interventions de l'Etat, le roi et ses ministres n'y suffisent plus, le régime personnel se « déforme » (G. Pagès) et aboutit à la prolifération de commis et de bureaux, à l'*anonymat* d'une machine bureaucratique, à la Chancellerie, autour des secrétaires d'Etat, autour du Conseil d'Etat privé, du Conseil royal des Finances, etc., comme dans les Généralités, autour des Bureaux des Finances et surtout autour des Intendants et de leurs subdélégués vite multipliés (1). Le risque, pour le Souverain qui se croit de plus en plus infaillible et omnipotent, c'est d'être trompé, dépassé par l'énorme machine bureaucratique dont les rapports filtrent ou travestissent ce qu'ils veulent bien laisser parvenir jusqu'au tabernacle de Versailles, d'où en théorie tout part, et où tout remonte. L'aspect « frankensteinien » du régime est que toujours la machine risque d'étouffer son créateur.

La Monarchie louisquatorzienne est une vraie religion, avec son dieu (le Roi), ses prêtres (dignitaires et courtisans), son dogme (la théorie du pouvoir royal), ses rites (l'étiquette), son temple (Ver-

---

(1) Le despotisme est partout et le despote nulle part. Le mot d'ordre du XVIIIᵉ siècle sera, par respect tacite de la royauté, de toujours dénoncer le *despotisme ministériel*.

sailles), ses fidèles (ses sujets)... et ses hérétiques (les opposants plus ou moins larvés). D'où l'essence du décor qui, par sa mise en scène, rehausse la « gloire » royale comme « en majesté ». Façade prestigieuse qui ne saurait masquer l'évolution des institutions ni les besoins réels des peuples. C'est que le régime de Louis XIV n'est plus la Monarchie royale et arbitrale chère aux juristes français, mais la *Monarchie seigneuriale* qu'ils dénonçaient et qui s'affirme pleinement maîtresse de la *vie*, des *biens*, des *consciences* et des *lois et coutumes* de tous ses sujets, laïques ou *ecclésiastiques*. Toutefois, Louis XIV qui a plusieurs fois violé les lois divines et humaines (en légitimant ses fils nés d'un double adultère) et les fois fondamentales du royaume (en habilitant le cas échéant le duc du Maine à sa succession), n'a pas été jusqu'à s'identifier à l'Etat selon le mot légendaire tout en intégrant la Nation dans sa Couronne, mais il a dit réellement : « L'intérêt de l'Etat doit marcher le premier... quand on a l'Etat en vue, on travaille pour soi. Le bien de l'un fait la gloire de l'autre » (*Réflexions sur le métier de roi*, 1679), et, à son lit de mort : « Je m'en vais, mais l'Etat demeurera toujours. » Il marque bien la dualité entre le roi mortel et la pérennité de l'Etat, l'un étant au service de l'autre, selon l'antique doctrine de la royauté-fonction.

Comment et pourquoi cet absolutisme devint-il pratiquement ce despotisme que les Français du XVIIe siècle détestaient tant ?

Il est certain que l'esprit de la Renaissance fut favorable à l'essor absolutiste en faisant du Roi un « dieu de chair » et un Olympien, d'où la propagande par le ciseau et le pinceau, au Louvre, à Saint-Germain, à Versailles en faveur du nouvel Apollon : l'art classique, épris d'ordre, d'unité et de hiérarchie, fut un instrument monarchique, et il est logique que les partisans des Grands, Frondeurs, Frondeuses et autres « Importants » aient tous été de tendances « baroques », que

leur sensibilité « baroque » se soit reconnue avec délices, roma-
nesque, précieuse ou libertine, chez les héros d'Honoré d'Urfé,
de Corneille (1) ou des Scudéry, où le Moi hypertrophié se
déchaîne tumultueusement en « glorieux » défis et en tournois
d' « honneur ». On a donc avant 1661, comme une Monarchie
du Baroque, qui subit l'emprise de l'Aristocratie, suivie de la
Monarchie du Classique, sous le sceptre-férule du Roi-Soleil,
dont l'absolutisme triomphe en imposant à la fin du siècle
l'*équilibre idéal et temporaire entre l'Aristocratie et la Bourgeoisie*. Parallèlement auraient agi dans le même sens : le *sentiment
national*, développé par les Humanistes ; la *lutte des classes*, la
Royauté ayant longtemps pris appui sur la classe bourgeoise
montante pour contrebalancer les forces « féodales ». Cette
interprétation « économique » est primordiale et suggère bien
des réflexions : le *mouvement des prix* a-t-il joué un rôle ?
Il semble bien que la longue phase B de déflation après 1630-
1640 ait favorisé l'essor absolutiste par l'intervention nécessaire
de l'Etat comme stimulant et protecteur d'un mercantilisme
déprimé, à l'aide des « béquilles » et règlements d'un colber-
tisme égoïstement nationaliste : absolutisme et capitalisme
(bourgeois) se sont soutenus réciproquement, pour la conquête
du métal précieux, des marchés et débouchés comme pour celle
des champs de bataille en finançant la guerre militaire et diplomatique. Le maximum d'emprise étatique s'établit vers la
fin du règne, au moment des grandes crises monétaires, démographiques et alimentaires. Mais inversement, la phase A
de prospérité n'avait-elle pas accompagné l'absolutisme de
François Ier... ? Il est certain, enfin, que le *catholicisme* rénové
du Concile de Trente a partout soutenu l'essor absolutiste
du roi, image et serviteur de Dieu, en prêchant l'obéissance
et que l'Eglise gallicane, plus docile au roi qu'à Rome, fut
un grand instrument de pouvoir : un tableau de l'épiscopat
vers 1675 révélerait l'accaparement des sièges par les grandes
familles de Robe, de Cour et de Gouvernement.

Enfin, les facteurs essentiels de l'absolutisme ont bien été,
au-dedans la guerre civile latente et les troubles sociaux et
au-dehors la guerre étrangère endémique pendant tout le
siècle, surtout depuis 1635 : n'est-ce pas depuis cette date que
l'emploi des commissaires et intendants devient intensif,
quasi systématique ? La guerre permanente imposa l'entretien
d'une armée permanente, et la coutume de renforcer l'impôt

---

(1) Après le féodal don Gormas et le conspirateur Cinna, *Nico-
mède* n'est-il pas le tableau d'une Fronde imaginaire et victorieuse ?
Tout repose chez Corneille sur la clémence « généreuse » du roi
envers les grands rebelles.

sans faire appel aux Etats. Ici, l'idée de l'indépendance de la Nation rejoint celle de l'indépendance de la Couronne, donc de la « pleine puissance » royale. Qu'est-ce au fond que la Monarchie de Richelieu, encore « cavalière » et régnant par « chevauchées », ou celle de Louis XIV, de plus en plus bureaucratique, agissant par « l'écritoire» ? C'est une Monarchie renforcée par la nécessité qu'on appellera 150 ans plus tard le Salut public, un *gouvernement de guerre*, avec des *finances de guerre*, une *économie de guerre*, où tous les ressorts sont tendus vers le même but. On oublie trop que le régime de Louis XIV fut une Monarchie militaire, qu'il ne comprit la Noblesse qu'aux armées (ou à la Cour), qu'il visa surtout la primauté en Europe et la sécurité des frontières, d'où la faveur de Louvois, de Vauvan ou de Chamlay, que les revues et grandes manœuvres gigantesques (40 000 hommes) aux abords de Saint-Germain ou de Compiègne, et que les voyages royaux à Dunkerque, à Strasbourg et aux sièges des places belges ne sont pas que parade et guerre en dentelles, mais la poursuite du réel objectif du règne.

Toutes ces causes morales ou matérielles, économiques, fiscales ou militaires ont entraîné empiriquement le renforcement de l'appareil absolutiste.

2. L'armature étatique. — L'appareil central (1), longtemps nomade comme la Cour, du Louvre à Saint-Germain ou Fontainebleau, se fixera à Versailles à dater du 6 mai 1682. La concentration monarchique, c'est d'abord le *tête-à-tête* de Louis XIII et de Richelieu, ce sera celui de la Régente et de Mazarin, puis celui de Louis XIV avec les « ministres » de son Conseil d'en Haut et avec chacun de ses secrétaires d'Etat, son contrôleur général, ses ambassadeurs ou son lieutenant de police (après 1667). Déjà, dira Saint-Evremond de Richelieu, « le ministère a changé de maximes » parce qu'il appliquait la « raison d'Etat » sans égard au rang des trublions, qu'il forçait à obéir et qu'il jugeait « par commissaires » (conseillers d'Etat et maîtres des Requêtes) dépossédant par précaution la justice ordinaire des robins. Après l'éclipse de la Fronde, où le souple Mazarin céda prudemment devant le front commun momentané de la Bourgeoisie, de la Robe et de l'Epée tout en osant un instant incarcérer le « trio des Princes », le Conseil d'Etat se vida sans bruit des nobles qui s'y étaient imposés et

(1) V. surtout Ezéchiel SPANHEIM, *Relation de la Cour de France*, 1690 (éd. E. Bourgeois) ; duc de LA FORCE, *La Cour de Louis XIV* (1958) ; Henri BROCHER, *Le rang et l'étiquette sous l'Ancien Régime* (Alcan, 1934) ; Jacques LEVRON, *La vie quotidienne à la Cour de Versailles...* (Hachette, 1965).

les Intendants réapparurent dès 1652-1653 subrepticement
dans les provinces.

Ceux-ci, « commissaires départis dans les Généralités » ne
furent d'abord pour Colbert que des *enquêteurs* (1663-1664),
mais il dut vite, par nécessité, laisser ces Intendants se transformer en *administrateurs*, aidés de *subdélégués* choisis par eux
parmi les officiers du cru ; et tout ce monde de notables provinciaux qui avaient tant remué en 1648 pour la suppression
des Intendants, les trésoriers de France et les élus, les magistrats des Bailliages et des Présidiaux peu à peu vidés du
contenu de leurs charges, devinrent de simples agents d'exécution. L'Intendant de *Justice, Police* et *Finances* contrôle et
dirige tout (1) : la liquidation délicate des dettes des communautés (grosse entreprise voulue par Colbert en vue du redressement économique), le maintien de l'ordre, les subsistances
et l'agriculture, la levée des tailles ou la réduction des
hérétiques.

L'emprise de l'Etat sur la Nation se marque aussi par les
grandes *Ordonnances* législatives de Colbert, la prolifération des
bureaux du *contrôleur général*, vrai chef des Intendants et qui
prend en main presque toute l'administration du royaume,
l'action des inspecteurs des Manufactures, le développement de
la *police* (presse et librairie, lettres de cachet, prisons d'Etat)
avec création d'un lieutenant général de police au Châtelet
de Paris, en 1667 (dont la compétence s'étend de fait à la
France entière : Louis XIV travaille en tête-à-tête avec La
Reynie, et après 1697, avec d'Argenson), et de lieutenants de
police dans les villes (2) en 1699 (charge souvent rachetée par
les officiers locaux), la « réduction » des Etats provinciaux,
la domestication des gouverneurs (surtout honorifiques),
l'effacement du Parlement (privé officiellement, en 1673, de
son droit de remontrances préalables), la *Ferme générale* des
impôts indirects (1680), la création de la Milice en 1688,
la subordination étroite du bas Clergé à l'épiscopat en 1695,
l'érection en offices vénaux des mairies urbaines (1692) et des
subdélégations (2) (1704), et l'élimination du calvinisme

---

(1) V. surtout Serviteurs du roi (*XVII*e *siècle*, n° 42, 1959), la
thèse d'H. Fréville sur l'*Intendance de Bretagne* (la dernière
créée, 1689) et celle de G. Livet sur l'*Intendance d'Alsace*. Rappelons
pour l'ensemble Ph. Sagnac, *La formation de la Société fr. moderne*,
t. I, et G. Livet, Louis XIV et les provinces conquises (in *XVII*e *siècle*, n° 16, 1952). F. Loirette, L'administration royale en Béarn,
1620-1682 (*XVII*e *siècle*, n° 65, 1964).
(2) V. les travaux de J. Ricommard sur les Subdélégués (*R.H.M.*,
1937, et *R.H.*, 1945) et sur la *Lieutenance de police de Troyes*. D'autre
part, Ed. Esmonin a souligné la pauvreté des moyens d'action réels

et du jansénisme au nom de la responsabilité royale du salut
des âmes de ses sujets.

3. Les courants d'opinion. — Les contemporains rappellent
toujours le respect des « lois fondamentales » au roi qui doit
« imiter la bénignité de Dieu » en n'allant pas jusqu'au bout de
sa « pleine puissance » incontestée, mais ils savent aussi que rien
ne peut plus s'opposer à la volonté royale. La majorité insiste
sur la souveraineté du roi, parce que au-dedans un désordre
mortel est toujours prêt à l'emporter, au-dehors une invasion
toujours prête à se déclencher (1636, 1643, 1648, 1649-1650...).
Dans une société aussi fragile, déchirée par les famines,
l'anarchie nobiliaire, l'infidélité des officiers, les ravages, viols
et incendies des gens de guerre et des bandes armées (françaises,
wallones, espagnoles, allemandes, suédoises, lorraines, com-
toises, croates) à travers bourgs et campagnes, la vraie « ga-
rantie des droits » et de la sûreté individuelle réside dans le
seul absolutisme royal : d'où la complicité tacite de la Nation
quand le jeune Louis XIV annonça le redressement autoritaire
qu'il prit lui-même en main. Le leitmotiv de l'opinion fron-
deuse et aristocratique, avait été de dénoncer l'usurpation
du pouvoir royal par le ministériat, d'où un « monstre à deux
têtes ». Un Claude Joly (1) choisit comme boucs émissaires
Concini, Luynes, Richelieu, Mazarin qu'il « fourre dans le
même sac », et le grand magistrat modéré Omer Talon déclare
au jeune roi que les Français veulent vénérer la Majesté royale
« dans le point véritable de son exaltation ». Une grande partie
de l'opinion crierait volontiers : « Vive le Roi sans ministres !...»

Le royalisme des années 1660-1685 est donc fait à la fois du
souci d'ordre et de paix intérieure et d'admiration de la grandeur et des succès extérieurs, de sage résignation aussi : il
n'y a qu'à lire le *Sermon de Carême* de Bossuet (1662) ou des
lettres de Mme de Sévigné : « *Le plus sûr*, écrit-elle en 1672,
est de l'honorer et de le craindre et de n'en parler qu'avec
admiration. » Et le conformiste Philinte prêche l'accommode-
ment et le ralliement à l'ordre nouveau au gentilhomme
grincheux Alceste qui flétrit sans cesse les « vices du temps »
et exalte « cette grande raideur des vertus des vieux âges » : en
regrettant l'endroit écarté « où d'être homme d'*honneur* on

de Louis XIV pour assurer le maintien de l'ordre : 7 à 800 « archers »
de la maréchaussée pour tout le royaume, d'où l'emploi de l'armée
à des besognes de police par les intendants. J. SAINT-GERMAIN, *La
Reynie et la police...* (Hachette, 1962).
    (1) Petit-fils d'Antoine Loysel, auteur des *Institutes Coutumières*,
et de belle famille de robe, il insiste sur les « bornes » de la royauté,
les « pernicieux » ministres, et le consentement des peuples à l'impôt.

ait la *liberté* », Alceste parle comme les héros « baroques » de
Corneille et regrette l'âge des Chalais et des Cinq-Mars, des
belles Chevreuse et Longueville, du grand et tumultueux isolé
Retz. Et comme Corneille flétrissant la basse naissance des
« suppôts du despotisme », l'historien Mézeray reprochait à
Louis XI « l'abaissement des grands et l'élévation des gens
de néant », d'où sa disgrâce.

Hormis la noblesse oisive pour qui la suprême jouissance est
d'assister au petit coucher du roi (*Le Misanthrope*, II, V) et
de ramasser « ce qu'il jette » (Mme de Sévigné), bien des esprits
sont silencieusement réticents. Pour le chevalier de Quincy,
le courtisan est un « caméléon faux dans ses caresses, ingrat
après le succès... » et le culte idolâtre rendu aux statues royales
des nouvelles places parisiennes tient du « nabuchodosorisme ».
Mais les échecs provoquent un scepticisme désenchanté, un
esprit critique, aggravé par la « crise de conscience européenne »
(P. Hazard), et l'esprit public se réveille à la fin du règne, aristocratique d'abord, et religieux plus que « philosophe » encore.
A La Bruyère qui, en 1688, osait demander « si le troupeau
était fait pour le berger ou le berger pour le troupeau », l'aristocrate Fénelon, après avoir évoqué la France en 1694 « immense hôpital désolé et sans provision », faisait écho, en 1711,
en prêchant son élève le duc de Bourgogne : « Il ne faut pas
que tous soient à un seul, mais un seul doit être à tous, *pour
faire leur bonheur.* » D'autres précurseurs du « sensible »
XVIIIe siècle, comme l'abbé Claude Fleury et Géraud de
Cordemoy, ont peut-être influencé l'auteur de *Télémaque* en
prônant l'idéal d'un roi pacifique et « vertueux ». C'est le plus
fidèle serviteur du roi, Vauban, qui osait écrire : « La politique
qui ne se donne aucun soin de ménager l'amitié des peuples
et qui les vexe tous les jours par plus de nouveaux impôts
jusqu'à leur ôter le pain... est injuste... et c'est le plus grand
hasard du monde si tôt ou tard, elle n'aboutit pas à des événements capables de jeter la Monarchie dans un grand péril. »

Rien de pré-révolutionnaire en tout cela, mais des préoc-
cupations économiques de restauration, comme Claude Fleury
ou même Paul Hay du Châtelet, dès 1669, quand ils parlaient,
contre Colbert industrialiste, de restaurer avant tout l'agriculture et les classes rurales. De même Fénelon, de Cambrai,
préparait en liaison avec ses amis les ducs (Chevreuse, Beau-
villiers, Saint-Simon) le futur règne dans son plan gouvernemental des *Tables de Chaulnes* (1711), avec restauration des
gouverneurs, des Etats généraux et provinciaux, dotés de
pouvoirs législatifs et administratifs et dominés par la Noblesse
d'Epée, avec, il va sans dire, suppression des Intendants,

idéal « féodal » tout aussi rétrograde que celui de la Robe
en 1648 : une révolution des ducs et pairs, tout au plus, mais
cette lignée d'esprits devait proliférer au XVIIIe siècle, au grand
dam de l'Etat monarchique.

Tout se solde par bien des échecs, non seulement ceux des
guerres et de l'économie, mais surtout les échecs spirituels et
intellectuels : les succès scientifiques d'un Fontenelle et ratio-
nalistes d'un Bayle (Bossuet est le grand vaincu), les résistances victorieuses du gallicanisme (d'Aguesseau au Parlement), du jansénisme parisien et provincial (malgré la destruction de Port-Royal, en 1710, et la bulle *Unigenitus*
de 1713), du protestantisme (avec Antoine Court au Désert
nîmois).

Malgré tous ces « refus » de non-conformisme
religieux, moral ou politique, malgré la Dette et la
sclérose financière du régime, il y a un net recul
des autonomies et des dissidences, et Versailles,
au moment même où il est abandonné à la mort du
Grand Roi, en septembre 1715, incarne un système
gouvernemental et un modèle d'art rayonnant,
admirés et imités dans toute l'Europe monarchique
et princière.

La grandeur des réalisations unitaires du règne
ne saurait toutefois masquer l'inachèvement réel,
la mosaïque administrative inhérente à l'Ancien
Régime, dont Vauban donne un exemple typique
(1696) :

« L'*Election* de Vézelay est de la *province* de Nivernais, de l'*évêché* d'Autun, de la *généralité* et ressort
de Paris, et la *ville* de Vézelay du *gouvernement* de
Champagne, ... son composé est d'autant plus bi-
zarre que, toute petite qu'elle est, elle contient plusieurs enclavements des Elections voisines, dans
lesquelles elle en a aussi de fort écartés, sans qu'on
en puisse rendre raison... »

Chapitre V

LA CRISE DE L'ANCIEN RÉGIME SOCIAL AU XVIIIe SIÈCLE

Pour tenter de mieux comprendre le « déclin » de l'Ancien Régime, il faut confronter la courbe des fluctuations économiques avec les courants d'idées au temps des *lumières* et de la *sensibilité*, et voir comment se modifia le classement des valeurs sociales (1).

I. — Fluctuations économiques du XVIIIe siècle

La phase B dépressionnaire se traîne jusque vers 1730 : elle a connu la terrible secousse du système de Law (1716-1720) qui est à la fois un essai monétaire, un essai de crédit bancaire, une crise d'inflation et de spéculation, en vue de stimuler l'expansion économique au-dedans comme au-dehors, en Louisiane, aux « Isles », aux Indes orientales. Le système fut un désastre financier qui ruina pour longtemps en France l'avènement du *crédit* dans les mœurs et la confiance en la vertu efficace et stimulante d'une banque. Mais à son actif, outre l'allégement de la Dette, il y eut une cure de rajeunissement par un vaste plan d'Etat, un *rush* économique qui, rendant l'argent plus mobile, a favorisé la production, les échanges par une fièvre de hausse enrichissante : l'agiotage a favorisé la reprise, les goûts somptuaires, le mécénat, la

---

(1) Ph. SAGNAC, *Formation de la Société française moderne*, t. II, 1715-1789 (1946). Synthèse d'Alb. SOBOUL, *La France à la veille de la Révolution*, I : *Economie et société* (S.E.D.E.S., 1966).

recherche de l'aisance et du confort. L'Eldorado mississipien ne fut pas que mirage, car le sucre des Antilles favorisa la traite négrière qui enrichit Nantes et Bordeaux, tandis que Lorient, port de la Compagnie des Indes, vit affluer ivoires, poudre d'or, gomme, poivre, café, peaux de castor, thé, chocolat, porcelaines, laques, soies, cotonnades et bois précieux.

1725 fut une année noire du type louisquatorzien : disette, mortalité, vagabondage et répression, mais 1726 vit un fait primordial : la *stabilisation de la livre*, et il n'y aura plus de mutations monétaires jusqu'à la Révolution, ce qui dégela les affaires et rendit confiance aux producteurs.

Vers 1730, il y a *renversement de la conjoncture* ; une phase A de hausse lente des prix s'amorce dans un mouvement séculaire qui va de 1733 à 1817, coupé d'intercycles variés. Deux causes essentielles : un nouvel *afflux de métal monétaire* américain (surtout l'or brésilien) entraînant l'inflation progressive et stimulante des moyens de paiement, et une *révolution démographique* avec accroissement de la population, donc des débouchés de consommation : au XVIIIᵉ siècle, le taux de mortalité recule (33 °/₀₀ selon Moheau, 1778) et la longévité moyenne augmente (de 21 à 27 ans environ), surtout par une meilleure alimentation, et la population passera de 19 millions à près de 26 selon Necker en 1785 [1]. Autres causes peut-être : un jeu spéculatif et psychologique, surtout dans les villes, qui tend à développer les richesses par l'augmentation des besoins ; un perfectionnement technique des moyens de paie-

---

[1] Alors que la surmortalité se maintient en Quercy, en Sologne, en *Bretagne*, la surnatalité des montagnes, Cévennes, Auvergne, Alpes, alimente en immigrants le Bassin parisien et l'Ouest. — P. ARIÈS, *Hist. des populations françaises* (1948), M. REINHARD, *Hist. de la population mondiale de 1700 à 1948* (1949) et P. VALMARY, *Familles paysannes au XVIIIᵉ siècle en Bas-Quercy* (Presses Universitaires de France, 1965).

ment, faute de numéraire, par la multiplication des traites, des effets de change ou des titres viagers.

Cet âge euphorique connaîtra quelques spasmes dus aux calamités agricoles, des disettes, non des famines comme sous Louis XIV ; ainsi en 1740, en 1750-1752, en 1770-1772, avec quelques émeutes urbaines de vie chère, mais pas de révoltes paysannes comme au XVIIe siècle, avant les grands remous sous Louis XVI. Dans cette hausse lente de 1733 à 1763, accélérée de 1763 à 1775 (l' « âge d'or » de Louis XV), le profit s'accroît ; le producteur, optimiste, est encouragé à surproduire, l'Etat est porté à s'abstenir : son intervention devient inutile et paralysante ; les subventions, les monopoles et les règlements semblent désuets, la libre entreprise passe à l'ordre du jour. L'absolutisme colbertiste, lié à un état social qui conserve les corporations et les prohibitions, est ébranlé dans les esprits où triomphe la philosophie physiocratique du *laisser-faire* et du *laisser-passer*, chère à Gournay, au Dr Quesnay, à l'abbé Baudeau, à Mercier de La Rivière, à Turgot et à Dupont de Nemours. Mais, vers 1775, la hausse cesse sur certains produits, et en 1778, tous les prix sont en régression. Cette baisse intercyclique et catastrophique ne cessera qu'en 1787, où reprend la hausse cyclique renforcée de hausses saisonnières : la baisse avait réduit le profit au point de rendre accablants, psychologiquement et pécuniairement, l'impôt royal en hausse et les droits seigneuriaux consolidés, d'où les colères des paysans et artisans. La préparation mentale révolutionnaire fut incubée par la longue baisse 1778-1787 suivie de la forte vague de hausse 1787-1790, à laquelle ne purent faire face les masses populaires (1).

(1) V. les ouvrages fondamentaux d'Ernest LABROUSSE, *Esquisse du mouvement des prix et des revenus en France au XVIII* siècle,

De 1726 à 1789, la moyenne générale des hausses serait de 65 %, mais variable selon les produits et les régions. Le renchérissement frappe surtout les subsistances, le pain avant tout, qui compte pour moitié dans le budget populaire : 66 % pour le blé, 71 % pour le seigle, avec des pointes de maximum saisonnier : en juin-juillet 1789 (soudure), le blé passe à 150 %, le seigle à 165 %, le pain, à Paris, entre pour 88 % dans le budget ouvrier. Le bois a haussé de 91 % (fer, 30 %, laines, 22 %) ; le vin, 14 %, si bien que les vignerons, nombreux alors, sont doublement touchés : par la hausse du pain et par la mévente de leur vin. Et, tardivement d'ailleurs, le salaire nominal n'a progressé que de 22 %, en sorte que le salaire réel a baissé environ de la moitié.

Par contre, la rente du sol s'accroît : le fermage en argent a augmenté de 98 %, et d'autre part, les rentes en nature (métayage, dîmes) permettaient au seigneur, au décimateur, au gros propriétaire bourgeois de revendre au maximum les surplus. Pour les rentes fixes en argent (droits censuels), le seigneur rentier, frappé par la hausse, cherche par tous les moyens, soit à accroître son domaine « proche » d'exploitation, soit à accroître sa part des profits de l'exploitant, en durcissant la levée de tous ses droits, en exhumant les droits prescrits, par réfection des *terriers* et *chartriers*, etc. C'est là *l'incidence économique et sociale* de la réaction féodale du dernier tiers du siècle. Quant au paysan, il ne pouvait profiter de la hausse agricole que dans la mesure où il vendait : or beaucoup n'avaient pas assez de terres arables pour leur propre subsistance, surtout avec la poussée démographique du temps, et étaient acheteurs au contraire : seul un gros fermier ou « laboureur » pouvait profiter de la hausse, d'où l'attachement des masses prolétaires rurales aux biens communaux et aux droits de parcours et de vaine pâture. Et *l'incidence politique* ? D'un côté la hausse des prix accroît les dépenses ; de l'autre, la baisse du salaire réel diminue le pouvoir d'achat et de consommation : donc, le rendement de l'impôt, quoique augmenté en taux, tend à se stabiliser. Un seul remède pour l'Etat : atteindre par l'impôt direct cette rente croissante du sol, mais la résistance des privilégiés à la réforme financière a rendu la Révolution inévitable. Il y a donc écart croissant des niveaux

2 vol., 1933, et *La crise de l'économie française à la fin de l'Ancien Régime*, t. I, 1944. — V. aussi G. LEFEBVRE, Le mouvement des prix et les origines de la Révolution française (*Ann. H. Rev. Fr.*, 1937) et La crise économique à la fin de l'Ancien Régime (*Ann. H.E.S.*, 1946) ; les travaux de M. BLOCH, dont La lutte pour l'individualisme agraire au XVIIIe siècle (*A.H.E.S.*, 1930) et ceux de G. WEULERSSE sur les *Physiocrates*. Les thèses d'E. LE ROY LADURIE, *Paysans de Languedoc*, et A. POITRINEAU, *La vie rurale en Basse-Auvergne*, 1726-1789.

de vie, aggravation des conflits sociaux, paralysie de l'Etat monarchique devant le refus aristocratique.

Dans une économie toute rurale (malgré l'essor capitaliste commercial des villes et des ports) où environ la moitié de l'alimentation est à base céréalière, la vie entière du royaume dépend des fluctuations agricoles. Le mécanisme de cette emprise est net : si la production des blés diminue dans une large zone affectant plusieurs provinces, le pain augmente malgré le contrôle gouvernemental du commerce des grains ; et malgré la hausse du blé, le profit du cultivateur diminue parce qu'il a moins à vendre et autant à payer. Il y a paupérisation et prolétarisation parallèles de la masse des journaliers, au moment où ils doivent, comme les tenanciers ou métayers eux-mêmes, payer tout plus cher. En outre, commerce et travail urbains vivent de la masse de clientèle rurale et en temps de crise, les achats de la campagne à la ville se raréfient, d'où baisse des salaires et chômage ouvrier. Le pouvoir d'achat citadin diminue d'autant, ce qui entraîne l'affaissement de toute l'économie urbaine (bâtiment, commerce de luxe, habillement, etc.), d'où les faillites nombreuses dans l'industrie et le négoce de luxe parisiens sous Louis XVI, car les riches, frappés dans leurs revenus par les hausses, restreignent aussi leurs achats, d'où réactions en chaîne : à la *sous-production agricole* correspond la *sous-consommation industrielle* dans les restrictions aiguës d'un marasme généralisé.

Mais, hors des crises, la tendance générale est à l'essor capitaliste, au développement des entreprises, à l'amélioration des niveaux de vie et de l'aisance (1) : on en ressent d'autant plus durement la brutalité des intercycles.

II. — Quelques exemples et sondages ruraux ou urbains

Des monographies illustrent sur le plan local les tendances et les transformations, étude analytique qu'il faudrait étendre à la France entière :

Dans les *Mauges*, au sud de l'Anjou, les 2/3 du sol sont aux nobles et aux seigneurs d'Eglise. On note 16,5 % en propriété

---

(1) Incidence psychologique aussi : la vie même varie autant que le prix des choses. Un ménage d'artisans, en 1789, veut vivre moins frugalement qu'en 1715 ; il veut acheter plus de savon, de chandelle, de bois, de linge, etc., et souffre d'autant plus de ses *besoins* insatisfaits.

bourgeoise et 17,44 % en propriété paysanne ; mais cette propriété paysanne est très morcelée, avec souvent moins d'un hectare par famille. L'exploitation des terres seigneuriales est aussi morcelée en « métairies », en réalité par baux de fermage ou de complant. Les charges seigneuriales semblent rester lourdes sur un sol pauvre à landes dominantes (avant le chaulage) (1). Dans le Nord dominent la terre noble en Hainaut, la terre d'Eglise en Cambrésis, la terre bourgeoise en Flandre. En Ile-de-France, Picardie et Artois, le développement des fermages et des grands domaines se rapproche du type anglais (cf. A. Young) (2).

Autour de Paris, tandis que se maintient dans les vallées une démocratie de maraîchers et de vignerons, s'affirme sur les plateaux le rassemblement des terres au profit de nobles et surtout de *bourgeois parisiens*, avec grands domaines exploités en grosses fermes : la mise en culture des communaux, la fin de la vaine pâture entraînent l'exode des petits exploitants et leur remplacement par des journaliers provinciaux (3). Sur les *plateaux de Basse-Bourgogne* (4) un *openfield* en quelques grands domaines mais surtout une foule de propriétés parcellaires et des communaux autour de gros villages nucléaires à usages communautaires encore vivaces (blé, vigne) : il y a déjà émigration par saturation démographique. En *Puisaye*, par contre, domine le *bocage* en grandes propriétés nobles (élevage, bois, landes et gâtines). En *Poitou* (5), les métairies ont remplacé la plupart des tenures et appartiennent à des familles nobles, souvent décadentes (ex. : les Marans de Bonneuil-Matours), insouciantes et endettées, qui aliènent peu à peu leurs biens à des notables, meuniers, maquignons, etc. En *pays gannatois* (6) aux confins bourbonnais-auvergnats, le paysan n'a que 1/3 du sol, 217 personnes ayant les 3/4 de la superficie cultivée, et le budget du paysan-manouvrier est sensible aux variations du prix du pain.

Dans le Midi, s'il y a fort peu de propriétés nobiliaires autour

(1) ANDREWS, *Les paysans des Mauges au XVIII⁰ siècle*, 1938.
(2) V. les travaux de G. LEFEBVRE (*Paysans du Nord*, 1924) et de LOUTCHISKY (*R.H.M.*, 1933).
(3) M. PHLIPPONNEAU, *Evolution hist. de la vie rurale dans la banlieue paris.* (1955).
(4) J.-P. MOREAU, *La vie rurale dans le S.-E. du Bassin parisien...*, 1958 ; P. de SAINT-JACOB, *Les paysans de la Bourgogne du Nord au dernier siècle de l'Ancien Régime* (thèse 1959) et *Documents sur la Communauté villageoise en Bourgogne...* (Belles-Lettres, 1962).
(5) P. MASSÉ, *Varennes et ses maîtres ; un domaine rural...*, S.E.V. P.E.N., 1956.
(6) A. FREYDEIRE, *Le pays gannatois... à la fin de l'Ancien Régime* (1958).

de Lodève (cf. APPOLIS) ou en Béarn (cf. J. BASCOU), on trouve deux exemples typiques : les pays montalbanais et montpelliérains.

— A _Montauban_ (1), capitale régionale et industrielle (lainages, soieries), des familles nobles catholiques gravitent autour de l'Intendant, de l'Evêque, de la Cour des Aides, du Bureau des Finances, du Présidial, etc. (notables qui peupleront l'Assemblée provinciale de Haute-Guyenne, créée par Necker en 1778) et se superposent à une bourgeoisie et à une paysannerie surtout protestantes, d'où le clivage à la Révolution : la bourgeoisie sera jacobine (Jean Bon Saint-André, pasteur) tandis que la Noblesse catholique accentue sa réaction « féodale », révise et durcit ses « terriers » tout en devenant physiocrate : le métayage domine sur un sol appartenant aux nobles pour moitié, et utilisant une grosse main-d'œuvre de « brassiers » et d'« estivandiers ». Une masse de mécontents : métayers et prolétaires ruraux, gros et petits bourgeois, boutiquiers, artisans dépendant économiquement des Ordres privilégiés, et les rapports sociaux s'aigrissent vers 1780...

— A _Montpellier_ (2), l'étude des « compoix », rigoureuses « matrices cadastrales » pour l'assiette de la taille _réelle_, conduit à une solide statistique des terres nobles et roturières : beaucoup de petits tenanciers à polyculture archaïque sur parcelles émiettées tant en plaine qu'en garrigue ; mais dans la plaine plus riche, la propriété bourgeoise domine et sera renforcée par la vente des biens nationaux : la viticulture de « subsistance » est au petit paysan des garrigues, mais la viticulture « commerciale » est aux propriétaires citadins dans la plaine.

— A _Lyon_, exemple urbain typique, la fermentation pré-révolutionnaire est ardente dans la Fabrique, très atteinte par la crise au temps de Louis XVI : il y avait sur 143 000 habitants en 1789 une masse d'environ 30 000 compagnons, 6 000 maîtres-ouvriers, petits entrepreneurs à façon et 400 marchands-fabricants, gros soyeux. Il y a solidarité dans la recherche des remèdes au chômage : maîtres-façonniers et compagnons ligués contre le patriciat municipal et « soyeux » pour obtenir un _tarif_, et l'émeute de 1786 préfigure 1831 tout en rappelant la Rebeine de 1529 : tous demandaient un contrat

---

(1) Daniel LIGOU, _Montauban à la fin de l'Ancien Régime_ (1958)
(2) Alb. SOBOUL, _Les campagnes montpelliéraines à la fin de l'Ancien Régime_ (1958). DU MÊME, La communauté rurale au XVIIIᵉ siècle (_Revue de Synthèse_, juill. 1957). Ne pas omettre la belle _Histoire de la vigne et du vin en France_, de Roger DION (1959). Les _Etudes d'Hist. écon. rurale au XVIIIᵉ siècle_, par A. RIGAUDIÈRE et divers (Presses Universitaires de France, 1965) ; R. DESCADEILLAS, _Rennes et ses derniers seigneurs_ (Toulouse, 1964), dans l'Aude.

collectif, car la liberté des marchandages les exploitait, et le travail lyonnais était très sensible aux caprices des saisons comme à ceux de la mode ou des événements politiques (1).

III. — Les valeurs sociales : Noblesse et Bourgeoisie

Tandis qu'à la campagne le fossé se creuse entre la « bourgeoisie rurale » et la masse des tenanciers, métayers et manouvriers, les classes dirigeantes témoignent d'une grande vitalité, offensive dans la Bourgeoisie, défensive dans la Noblesse.

Il y a peu à peu *rupture d'équilibre* entre ces deux forces, que la Royauté ne saura pas arbitrer, avant de prendre parti en associant son destin aux forces les plus archaïques et sclérosées d'une société en marche. Pendant tout l'Ancien Régime, qui ne connut jamais de castes, la *noria* sociale a toujours fonctionné de bas en haut et parfois jusqu'aux duchés-pairies (les Neufville de Villeroy, les Phélypeaux de La Vrillière). Les mœurs sont en avance sur la mentalité : *on méprise, mais on épouse* (pour *redorer* le blason), et la femme de l'ombrageux et fier Saint-Simon, bien que de Lorges, n'a-t-elle pas du sang de roture financière ? Une duchesse, fût-elle de basse extraction, n'en est pas moins duchesse et pour être admise aux « honneurs de la Cour », ne doit prouver, par tradition salique, que la noblesse de son mari. L'égalité dans les mœurs et les rapports sociaux a précédé l'égalité devant la loi : l'égalité de la rue Quincampoix, où marquis, valets et crocheteurs jouaient des coudes dans la même course au trésor ; l'égalité des conseils d'administration de Saint-Gobain, des Indes orientales ou d'Anzin (1757) où se côtoient grands sei-

(1) Louis TRÉNARD : outre sa thèse sur la bourgeoisie lyonnaise au XVIIIᵉ siècle, v. La crise sociale lyonnaise à la veille de la Révolution (*R.H.M.C.*, janvier 1955). Autre exemple : G. LEFEBVRE, *Etudes orléanaises*, t. I (1962).

gneurs et bourgeois liés par l'intérêt capitaliste ;
l'égalité des salons mondains et philosophiques où
l'on fraternise dans le même culte de l'Esprit et des
Idées, de l'aristocrate Montesquieu et du bourgeois
Voltaire aux plébéiens Rousseau et Diderot, l'égalité de ces autres salons fraternels que sont les loges
maçonniques depuis environ 1725 ; l'égalité acadé-
mique elle-même où l'on retrouve comme confrères
des ducs et des évêques à côté du petit bourgeois
Duclos, de l'enfant trouvé d'Alembert, des bâtards
déclassés Chamfort et Delille ; tout cela précède
de loin la Nuit du 4 août, et le décret final du
23 juin 1790, qui abolit la Noblesse héréditaire et
ses titres honorifiques. L'égalité devant *l'argent*
et le *succès* tendait à confondre les rangs : la
haute Société traitait avec honneur et poussait
au premier plan gens de finance, gens de théâtre
et filles d'opéra. Le XVIIIe siècle fut le règne de la
finance bourgeoise, avec les Samuel Bernard, les
Pâris (Duverney et Montmartel), les Poisson, les
Lenormand, les Dupin, les La Popelinière, les
Laborde, et autres banquiers ou fermiers généraux,
tous *socialement* (mais non juridiquement) les égaux
des Richelieu, des Noailles, des Broglie ou des
Luynes. Mme Geoffrin, petite bourgeoise dont le
salon rassemble les beaux esprits de tous rangs,
n'est-elle pas la femme d'un obscur directeur à
la Compagnie de Saint-Gobain ? Et les têtes cou-
ronnées d'Europe la courtisent. Pour mieux concré-
tiser ce brassage égalitaire, on peut rappeler l'éclec-
tisme de Louis XV, passant de la duchesse de
Châteauroux (et de ses sœurs aristocrates, les
Mailly-Nesles) à une fille de finance, Jeanne-
Antoinette Poisson, alliée de Paris-Duverney,
bourgeoise spirituelle maquillée par le roi en mar-
quise de Pompadour, enfin à Jeanne Bécu, maquillée

en comtesse du Barry, aimable fille née, dit genti-
ment le poète, comme Vénus « de l'écume de l'onde »
et qui régna six ans sur Versailles.

Une lutte sourde et profonde, derrière ce brassage
en façade, domine le siècle : l'irrésistible poussée
bourgeoise affronte la résistance, bientôt la réaction
aristocratique (1).

1. **Poussée de la Bourgeoisie.** — Juridiquement, la *Bourgeoisie* est l'appartenance à un « corps » de « bourgeoisie »
urbaine, notion étroite déjà désuète au XVIIIᵉ siècle. La bourgeoisie est autant, certains disent plus, une mentalité qu'une
classe sociale, et d'ailleurs il y avait depuis le XVᵉ siècle toute
une hiérarchie de catégories moyennes, aux revenus et aux
activités très variables. Qu'est-ce qu'un bourgeois ? Au temps
des bourgeois Molière et Boileau, le terme désignait avant tout,
avec dédain dans la bonne société, le drapier, le petit robin, le
boutiquier, les gens de métier, races auxquelles les auteurs
donnent pour attributs moraux essentiels la « passion posses-
sive » et processive, et la couardise, dans des types caricaturaux
opposés aux traditions courtoises, galantes et chevaleresques.
Mais ce temps fut aussi celui de Pascal et de Nicole, et Port-
Royal donne aux bourgeois une conscience, en « démolissant
le Héros » et en posant le problème des droits respectifs de la
Conscience et de l'Autorité. La « grâce efficace » du jansénisme a
trempé des natures solides, a contribué à opposer au type du
« gentilhomme paradeur et gaspilleur » celui du bourgeois
laborieux, économe, et sévère qui sera celui du XVIIIᵉ siècle :
« Vivre noblement » signifie, outre l'oisiveté, l'optimisme en
morale, la dépense somptuaire et généreuse, le dédain de
l'argent qui est chose vile ; vivre« bourgeoisement » sera, pour
le bourgeois qui n'avait longtemps créé « du luxe que pour la
consommation aristocratique », vivre dans une aisance digne,
cossue, mais fondée sur le travail et le sens de l'*épargne*, avec un

(1) Outre SAGNAC, GAXOTTE *(Le siècle de Louis XV)*, v. Henri SÉE,
La vie économique et les classes sociales au XVIIIᵉ siècle (1924),
résumée dans *La France écon. et sociale au XVIIIᵉ siècle* (coll.
« A. Colin »), toujours solides et utiles pour l'analyse des structures
et des classes ; Pierre LÉON, Recherches sur la bourgeoisie de province au XVIIIᵉ siècle *(Inform. hist.*, mai 1958, et t. VII du *Congrès
intern. Sc. hist. de Rome*, 1955) ; AYNARD, *Hist. le la Bourgeoisie*
(1940) ; L. DOLLOT, *La question des privilèges dans la seconde moitié
du XVIIIᵉ siècle* (1942) ; GROETHUYSEN, *Les origines de l'esprit
bourgeois* ; I : *L'Eglise et la Bourgeoisie* (1927). Alb. SOBOUL, *La
France à la veille de la Révolution, op. cit.*

pessimisme moral qui admet le double postulat de la toute-
puissance de la Nature corrompue et de la nécessité de la
contenir sévèrement. La bourgeoisie, qui unit le « bon sens
terre à terre à une dignité compassée », a l'instinct comptable,
des écus comme des bonnes œuvres, et bien que la « prédesti-
nation » céleste s'estompe au siècle 'de Voltaire, la prédesti-
nation terrestre la voue à la liberté (qui suppose l'effort)
de la conscience comme de l'entreprise. « Toute la France
respire cette liberté », disait dès 1700 le négociant nantais
Des Casaux dans un sens économique, mot d'ordre magique de
Liberté que reprendront en chœur tous ceux qui voudront
en foule émanciper le Commerce et l'Industrie des règlements
et prohibitions, la Raison et la Science de la théologie et du
dogme, la Conscience des « préjugés gothiques » et la Terre des
droits féodaux. Les bourgeoisies du XVIIIe siècle se composent
bien des petits bourgeois chers au pinceau de Chardin ou à la
plume de Diderot, mais aussi des armateurs et des grands
capitalistes des ports, des villes textiles ou des nouvelles
« compagnies » minières ou métallurgiques, des magnats de la
Finance qui « soutiennent » l'Etat dans les Fermes ou les
Recettes générales. Même la haute Robe parlementaire, tout
en s'agrégeant à la Noblesse, y apporte dans ses seigneuries
terriennes comme dans ses fonctions publiques un sens comptable tout bourgeois de l'épargne, du rendement efficace et
une fière indépendance d'esprit et de conscience, dernière
empreinte janséniste.

Le bourgeois Voltaire, homme d'affaires et spéculateur
avisé, Vincent de Gournay et tous les économistes, de l'abbé
Morellet à Turgot, comme tous les collaborateurs de l'*Encyclopédie*, défendent les conceptions bourgeoises de la liberté
de la production et des échanges, la fin de tous les monopoles
et de toutes les entraves.

2. Résistance et réaction de l'Aristocratie. — La Noblesse
du XVIIIe siècle est bien une *refoulée* politique depuis Louis XIV
avant de l'être économiquement, car la montée bourgeoise
reflète la victoire de la richesse mobilière sur la fortune
foncière. Le fait social essentiel est alors (malgré le cas-limite
de l'attardé Saint-Simon savourant encore au lit de justice du
26 août 1718 l'humiliation des robins) la pleine *fusion sociale et
mentale de la Robe et de l'Epée*, surtout par mariages, et l'épée
et la robe voisinent souvent dans la même famille. On peut
même noter que la Robe sera la plus âprement militante dans
la défense des intérêts nobiliaires, à la pointe du combat
politique et social. Ces *Cours* ou *Compagnies souveraines* pré-

tendent dominer l'Etat comme gardiennes des Lois fondamentales, tutrices d'une Monarchie « traditionnelle » expurgée des « pernicieuses maximes » des Duprat, des Richelieu ou des Colbert. On note avec surprise que les mêmes familles fournissent les robes rouges très indépendantes et parfois rebelles des Parlements et les sévères habits noirs des Maîtres des Requêtes, Intendants et Conseillers d'Etat qui ont choisi « le côté du roi » (1). Ces Cours sont : Paris, Toulouse, Grenoble, Bordeaux, Dijon, Rouen, Aix, Rennes, Pau, Metz, Besançon, Douai (ordre de création), et même Nancy (créée 1775) et Trévoux (abolie 1786). Ajoutons ces petits parlements : les « Conseils souverains » de Perpignan, d'Arras, de Colmar et de Bastia (créé 1768) : en tout 1 200 *Messieurs*, sous la seule juridiction, contestée par eux, du Conseil du Roi. En ajoutant 900 membres des Chambres des Comptes et Cours des Aides et 80 membres du Châtelet de Paris, prévôté hors classe, cela fait 2 200 « grandes robes » de Noblesse héréditaire et de charges transmissibles (sauf Nancy). Les philosophes flétriront, à propos de procès célèbres, l'esprit routinier et intolérant de beaucoup, mais certains sont « éclairés » et participent aux « lumières » du siècle. Gages modestes, 2 à 3 000 livres, qui ne comptent pour rien dans leurs fortunes, assises sur la solide richesse terrienne de dynasties locales comme les Bouhier en Bourgogne, les Ornacieux en Dauphiné, les d'Oppède en Provence, les Châteaugiron ou les Caradeuc en Bretagne. Le président de Brosses n'est-il pas un âpre seigneur bourguignon, et les parlementaires de Guyenne n'ont-ils pas, tel Montesquieu, châtelain de La Brède, les meilleurs crus du Bordelais ? Et quelles fortunes représentent les dynasties parisiennes, les Séguier, les d'Ormesson, les Le Peletier, les Molé, les Lamoignon, les Joly de Fleury ? L'empreinte de ces familles de robe, autour desquelles gravite la Basoche, se marque aussi dans les villes parlementaires qui ont encore aujourd'hui, Aix, Dijon ou Rennes, un cachet particulier d'urbanisme et abritent dans leurs quartiers endormis les somptueux hôtels de « Messieurs ».

Richesse et fonctions en font peu à peu une caste fière et gourmée, qui devenait, par ses arrêts de justice favorables aux inté-

(1) Fr. BLUCHE, *L'origine des Magistrats du Parlement de Paris au XVIIIe siècle et* DU MÊME, L'origine sociale du personnel ministériel au XVIIIe siècle (*Bull. Soc. H.M.C.*, janvier 1957). On qualifie souvent, pour les distinguer de la noblesse de Robe parlementaire, les gens des conseils du roi de noblesse de « service » ou de noblesse « administrative ». Factice, car les mêmes familles sont dans les Parlements et au Conseil (Joly de Fleury, Gilbert des Voisins, d'Ormesson, etc.).

rêts seigneuriaux, le meilleur *instrument de réaction nobiliaire* (1).

Le *courant fénelonien* d'une monarchie décentralisée et tempérée par des Etats généraux et provinciaux aristocratiques se continue à travers le siècle par le *Club de l'Entresol*, de 1726 à 1731 (avec les abbés Alary et de Saint-Pierre et quelques anglomanes), par les écrits du très féodal comte de *Boulainvilliers* (1727 et 1732) qui bâtit un roman historique en faisant des nobles les seuls Français libres comme descendants des conquérants Francs, et du Tiers Etat la descendance galloromaine vaincue ! Bien des Remontrances des Parlements puiseront dans les textes de Boulainvilliers sur les Assemblées d'Etats. Mais le monument de la pensée aristocratique est l'*Esprit des Lois* de 1748 : on oublie trop que le baron de Montesquieu, ex-président à mortier, le critique persifleur des *Lettres persanes*, le philosophe ironique, pacifiste, humanitaire et irréligieux, admirateur de l'antique Rome aux mains de l'aristocratie du Sénat, est un pur féodal, défenseur de tous les privilèges : il justifie les droits seigneuriaux (rançon de l'affranchissement des serfs), repousse le devoir fiscal des nobles, parce que les Francs ne payaient pas d'impôt : c'est toujours le prétendu sang *bleu* de la *race* noble. Il conçoit une Monarchie tempérée par les *Corps intermédiaires*, les Etats (2) et surtout... les Parlements.

Ce courant féodal s'oppose au *courant royaliste bourgeois* représenté surtout par l'abbé Dubos, brillant historien et théoricien, par l'abbé de Mably, le marquis d'Argenson et la plupart des Encyclopédistes qui condamnent le « monstrueux régime féodal » et conçoivent tous une Monarchie centralisée, rationnelle, utilitaire et laïcisée, fondée sur les services rendus et l'idée de *progrès*, soucieuse de « rendre les peuples heureux » (3). C'est l'école du despotisme « éclairé » d'un Voltaire

---

(1) LE MOY, *Le Parlement de Bretagne et le pouvoir royal au XVIII*^e *siècle* (1930) ; BICKART, *Les Parlements et la notion de souveraineté nationale au XVIII*^e *siècle* (1932) ; COLOMBET, *Les parlementaires bourguignons à la fin du XVIII*^e *siècle* (1937) et surtout les travaux de Jean EGRET, *Le Parlement de Dauphiné (1756-1789)*, 2 vol., 1942 ; *Les derniers Etats du Dauphiné, 1788* (1942) ; L'opposition aristocratique au XVIIIe siècle (*Inform. hist.*, nov. 1949) ; L'Aristocratie parlementaire à la fin de l'Ancien Régime (*R.H.*, juillet 1952), etc.

(2) A. RÉBILLON, *Les Etats de Bretagne de 1661 à 1789* (1932) ; J. MEYER, *La Noblesse bretonne au XVIII*^e *siècle* (thèse, 1966); E. APPOLIS, *Les Etats du Languedoc au XVIII*^e *siècle* (1937) ; DU MÊME, Les Assiettes diocésaines en Languedoc au XVIIIe siècle. substantiel art. in *Anciens Pays et Ass. d'Etats*, t. IX, Louvain, 1955.

(3) *Le bonheur* est une idée neuve en Europe, dira Saint-Just. Bienfaisance et philanthropie sont bien la marque de l'esprit du XVIIIe siècle qui justifie ainsi l'autorité publique.

qui lance : « J'aime mieux obéir à un beau lion qu'à deux cents
rats de mon espèce » (riposte aux Anglomanes) et pour qui le
roi idéal serait un Louis XIV sans Jésuites !

3. **Les problèmes de Restauration nobiliaire** sont de quatre
sortes : terriens, mobiliers, honorifiques, politiques.

A) La *rente du sol* à améliorer reste le premier souci, soit le
rendement du domaine par faire-valoir direct ou par métairies,
soit le renforcement des droits seigneuriaux sur la mouvance.
Dans le premier cas, c'est l'enthousiasme « physiocratique »
pour les recherches agronomiques à l'anglaise prônées par
Quesnay avec les vastes fermes-modèles d'un La Rochefou-
cauld à Liancourt, du marquis de Turbilly en Anjou, du duc de
Charost-Béthune en Berry et bien d'autres qui suppriment les
jachères à l'aide de plantes fourragères, c'est l'exaltation du
retour à la terre par la « philosophie rurale » du marquis de
Mirabeau, l'*Ami des hommes* et l'ennemi des villes de négoce
et de spéculation, qui vante un « royaume agricole » aux mains
d'une Noblesse patriarcale, présidant les baptêmes et mariages
paysans, couronnant les rosières, comme dans l'Ouest, d'où
l'attachement rural aux « Messieurs » dans la Chouannerie.
Mais beaucoup sont de durs hobereaux, ruinés par la hausse des
prix dans leurs manoirs délabrés et jaloux de leurs droits de
chasse et de colombier. Et l'adage répétait : « ... C'est un gentilhomme de Beauce, qui se tient au lit quand on refait ses
chausses... » Il y avait une plèbe nobiliaire comme une plèbe
ecclésiastique des curés campagnards « à portion congrue ».
Pour étendre le domaine, le seigneur obtient, surtout de 1767
à 1773, des édits de *triage* qui permettent d'incorporer et
d'enclore une partie des communaux, forêts et pâtures collec-
tives, d'où les plaintes, en 1789, des cahiers de paroisses. S'il
s'agit des mouvances, les nobles font remettre à jour par des
feudistes, clercs de basoche, leurs *terriers* et *chartriers*, recueils
poussiéreux de leurs vieux droits parfois oubliés, et c'est en
faisant ce métier aux dépens des paysans que le Picard Babeuf
deviendra farouche révolutionnaire. Chateaubriand rappellera :
« La terre de Combourg n'avait pour tout domaine que des
landes, quelques moulins et deux forêts... mais était riche en
droits féodaux... Mon père avait fait revivre quelques-uns de
ces derniers, afin d'éviter la prescription. » Souvent, en effet,
afin d'échapper à la prescription trentenaire, on réclamait
en bloc 29 annuités aux paysans surpris et accablés (1).

(1) L' « aggravation » du régime seigneurial sous Louis XVI vient
de ce qu'on lève exactement tous les vieux droits exhumés en un
temps de mévente, de chômage et de marasme, où les revenus

B) La *richesse mobilière*, par entreprises lucratives, posait
la question de la *dérogeance*, toujours affirmée par Montesquieu. Il était acquis que ne dérogeaient pas à noblesse le
commerce de mer, le commerce de gros depuis 1701, la verrerie
(le marquis de Solages, à Carmaux), les mines ou les forges (le
comte de Buffon, à Montbard), ni la commandite ou la participation à de grandes entreprises industrielles (le comte d'Artois,
à l'eau de Javel ; le duc d'Orléans, à des tissages). La Royauté
tend même à anoblir certains manufacturiers comme Ober-
kampf ou Poupart de Neuflize, quoique princes en l'art
mécanique du textile, mais vivant « noblement ». A la fin du
siècle, le capitalisme noble, en voie d'amalgame avec le capitalisme bourgeois, semblait sur le point de contrôler toute l'industrie « lourde ». D'autre part, une *noblesse commerçante* se
développait à Bordeaux, Nantes, Lyon, Saint-Malo, La Rochelle, beaucoup par échevinage ou par charges, d'autres par
lettres-patentes (1). Des théoriciens, tel l'abbé Coyer (1756),
contre Montesquieu et les corps de métiers, réclamaient pour
la Noblesse le libre commerce, comme certains Cahiers de la
Noblesse en 1789.

C) Les *privilèges honorifiques*, très recherchés par les demi-
nobles, bourgeois aux confins obscurs de la Noblesse (port
d'armes, privilèges au village ou à l'église, exemptions et
monopoles) sont âprement maintenus, mais il y a aussi la foire
aux vanités, comme l'admission aux « honneurs de la Cour »
limitée par Louis XV en 1732 et 1759 à la Noblesse d'avant
1400, en théorie, et 942 familles furent ainsi admises avant
1789 à suivre les chasses dans les carrosses royaux, vraie
caste au sein de la Noblesse (2). En dehors de ces hochets,
c'est au nom de l'*honneur* qu'on tenta de ressusciter la voca-
tion du *sang*, les antiques vertus guerrières de la Noblesse en
lui réservant les cadres de l'armée. Ainsi le chevalier d'Arc

de tous genres s'effondrent. En 1789, 12 000 familles nobles (dont
942 admises aux honneurs de la Cour depuis 1732), soit environ
160 000 personnes, plus 100 000 environ prétendant à tout ou partie
des privilèges nobiliaires : soit moins de 2 % de la Nation qui
détiennent environ le 1/4 des terres et plus du 1/3 des récoltes négo-
ciables. La brochure de BONCERF, *Les inconvénients des droits
féodaux* (1776) eut un grand retentissement et fut poursuivie par
le Parlement.

(1) H. LÉVY-BRUHL, La Noblesse de France et le commerce dans la
2ᵉ moitié du XVIIIᵉ siècle (*R.H.M.*, 1938) ; M. REINHARD, Elite et
Noblesse dans la 2ᵉ moitié du XVIIIᵉ siècle (*R.H.M.C.*, nᵒ 1, 1956) ;
et les travaux de Guy RICHARD sur la Noblesse commerçante (*Inform. hist.*, nov. 1957, nov. 1958, et sept. 1959).

(2) Sans compter les familles « de Cour » qui tendent franchement
la main, sous la pluie des grâces et des pensions, comme les Polignac
sous Louis XVI.

écrit sur la *Noblesse militaire* : des ministres de la Guerre décrètent l'anoblissement de tous les officiers généraux et, d'autre part, réservent des faveurs à la jeune Noblesse pauvre : le comte d'Argenson, en 1751, crée pour elle l'Ecole Militaire de Paris, qu'en 1775 le comte de Saint-Germain transforme en Ecole supérieure pour jeunes nobles déjà formés dans 12 collèges « militaires » confiés à des religieux, dont Brienne. Et c'est l'édit de 1781 du maréchal de Ségur, tant discuté quoique très clair : il s'agit, dans la cavalerie et l'infanterie françaises (à l'exclusion donc des corps étrangers et des armes savantes) de réserver les sous-lieutenances, *quand on ne sort ni du rang ni d'une école militaire,* à des nobles justifiant de 4 quartiers de Noblesse (1). Dans la Marine, des ministres comme Choiseul ou Castries donnèrent le pas aux officiers « rouges » (nobles) sur les « bleus », et à l'Epée sur la Plume (les intendants et officiers-écrivains) ; or l'Epée, excellente à la mer, était nulle en administration.

D) *Politiquement,* la Noblesse voudrait reconquérir pièce à pièce tout ce qu'elle a perdu dans l'Etat au cours du xviie siècle : un droit collectif de contrôle et de participation (d'où l'action continue des *Cours souveraines*), et le monopole de tous les cadres supérieurs. Cette action domine l'histoire politique du siècle et fera trébucher la Royauté ; elle s'affirme victorieusement, après 1750, avec l'accord tacite de cette Royauté : il ne s'agit pas de la Noblesse « administrative » des gens du Conseil d'Etat et des Intendances, puisqu'elle date du xviie siècle, **comme les Phélypeaux (La Vrillière, Saint-Florentin, Maurepas)** ou de la Haute Robe, de même extraction (cf. Bluche), mais de faits nouveaux : sous Louis XVI, les 18 archevêques et 118 évêques, les 8 000 chanoines des cathédrales et collégiales et plusieurs milliers de moines et moniales des grandes abbayes sont tous nobles, alors que vers 1730 encore, la moitié des évêques étaient de souche bourgeoise : un Bossuet, un Fléchier, un Massillon ne seraient plus concevables. Tandis que sous Louis XIV, on n'eût jamais vu un maréchal ou un duc recevoir ni accepter un poste de secrétaire d'Etat, rouage essentiel, pourtant on vit dès le milieu du siècle la Noblesse d'Epée issue de la Robe accepter ces charges (les marquis et comte d'Argenson, le marquis de Paulmy, le maréchal de Belle-Isle), et la vieille Noblesse la suivre (Choiseul-

---

(1) E. Léonard, *L'armée au XVIIIe siècle* (1958) et du même, La question sociale dans l'armée française au xviiie siècle (*Ann. H.E.S.*, 1948). V. Barol, Rouges et Bleus dans la marine de l'Ancien Régime (*Inform. hist.*, sept. 1953). A. Corvisier, *L'armée française de la fin du XVIIe siècle à 1763 ; le Soldat* (thèse 1964.)

Stainville et Choiseul-Praslin, d'Aiguillon, Ségur, Castries, Montmorin, etc.). Tous les ministres et secrétaires d'Etat à la veille de 1789 sont aristocrates, et la fusion nobiliaire est telle qu'il importe peu que l'origine de grandes familles de la Cour ou des ministères soit de Robe ou de « service » comme les Breteuil, les Loménie de Brienne, les Lamoignon ou les Vergennes. (On attachait plus d'importance à ce qu'on fût « dévot » ou « philosophe ».) Tous les cadres supérieurs de l'Eglise, de l'Etat et des grands services publics étaient aux mains de l'aristocratie, d'où les réactions de l'opinion, surtout de la haute bourgeoisie.

Malgré tout, la Noblesse périclite au xviiie siècle, devant la montée bourgeoise. On ne saurait mieux illustrer cette rupture d'équilibre social qu'en reprenant, après Roupnel, un exemple comparatif bourguignon : la vieille famille noble des Saulx-Tavannes, un instant revigorée au xviie siècle par alliance avec les Brûlart, se ruine « noblement » au xviiie par prodigalités et gaspillages à la Cour, tandis que patiemment s'accroît et se consolide la fortune « bourgeoise » des Mairetet, devenus, vers 1700, seigneurs de Minot et conseillers au Parlement de Dijon : 3 générations de Mairetet, régnant sur 14 fermes et métairies, ont tenu, depuis 1678, un compte exact, sol à sol, de leurs divers revenus fermiers ou seigneuriaux, en argent et en nature, les mesures de grains et de vin, des dîmes et champarts, le bois dû par *droit de chauffage*, le miel des essaims par *droit d'épaves*, etc., sans compter, pour les amateurs de pittoresque idyllique, le *droit de noce*, par lequel les nouveaux mariés doivent « porter au sortir de la messe, au son du hautbois et du tambourin, au château du seigneur une pièce de chair avec un pot de vin et une miche de pain ». Et, le 21 avril 1789, François Girardot et sa jeune épouse, apporteront « au son du hautbois » la dernière longe de veau et la dernière pinte de vin...

Chapitre VI

LA CRISE POLITIQUE
ET LA FIN DE L'ANCIEN RÉGIME

C'est au cours du XVIIIᵉ siècle, en voulant se moderniser, se rendre plus équitable et efficace, que l'Ancien Régime chancela en se heurtant au mur des Privilèges. Il est bien oiseux, en prétendant doser par des discussions sans fin les diverses causes de la Révolution, de chercher dans quelle mesure « c'est la faute à Voltaire », à Marie-Antoinette, à Necker, au mouvement des prix, à la disette des grains ou aux « machinations » du duc d'Orléans. Il est certain que toutes ont joué un rôle, que la Révolution eut des origines à la fois intellectuelles (D. Mornet), sociales et économiques (Jaurès, Mathiez, G. Lefebvre, E. Labrousse) mais que des causes politiques ont joué un jeu déterminant par les essais de réformes fiscales, judiciaires, administratives contre les résistances de l'armature aristocratique, seigneuriale et corporative du régime. Il est vrai aussi qu'une conjonction de circonstances favorables a déclenché le mouvement : les intempéries, la crise économique, le déficit, l'inertie royale, le veto des privilégiés, mais il est aussi vrai que l'agresseur de châteaux, de bureaux d'octroi ou de convois de grains en juillet 89, n'a pas lu les philosophes et n'en eut pas besoin pour agir, que d'autre part un soi-disant « complot » qui comprend des centaines de milliers de militants et de sympathisants n'est plus un complot, comme certains le soutiennent depuis l'abbé Burruel jadis jusqu'à Augustin Cochin ou Bernard Faÿ, mais un raz de marée.

I. — L'armature étatique du XVIIIᵉ siècle

La conception officielle de la Royauté reste immuable, et Louis XV dit en lit de justice aux magistrats de Paris dans le fameux discours de la *Flagellation* du 3 mars 1766 : « Ce qui s'est passé dans mes Parlements de Pau et de Rennes ne

regarde pas mes autres Parlements... Je ne souffrirai
pas qu'il se forme en mon royaume une association...
la magistrature ne forme point un *corps* ni un *ordre*
séparé... C'est *en ma personne seule* que réside la
puissance souveraine... *c'est à moi seul qu'appartient
le pouvoir législatif sans dépendance et sans partage* ;
c'est par ma seule autorité que les officiers de mes
Cours procèdent, *non à la formation*, mais à l'enregistrement, à la publication, à l'exécution de la
loi... » Le faible Louis XVI dira encore le 19 novembre 1787 : « C'est *légal*, parce que je le *veux*. » Mais
dans la pratique, le roi souverain devient une fic-
tion, et il y eut de nouveau dualisme avec un ministre dirigeant, du fait de l'indolence de Louis XV,
spectateur intelligent, mais neurasthénique et
désabusé de son propre règne, capable d'ailleurs de
« coups de majesté », et de l'apathie de l'honnête
et épais Louis XVI devant des problèmes qui le
dépassent. Le premier, dominé par la chasse et les
femmes, avait du moins à son actif le voyage à
Metz et sa présence à Fontenoy (1744-1745) face à
l'ennemi ; le second, dominé par la chasse, la forge et
la table, ne connaît que les environs de Versailles ou
de Fontainebleau, ignore son royaume, même sa capitale avant la visite quasi forcée du 17 juillet 89, et ne
fit guère que trois voyages brefs, à Reims pour le
sacre, en Normandie pour inaugurer le port de Cher-
bourg en 1786... et celui qui fut interrompu à
Varennes. *La Monarchie a souffert du manque de pilote
et d'arbitre, et n'eut* in extremis *qu'un roi-partisan*.

La machine ministérielle (1) reste en apparence
identique : il n'y eut de 1715 à 1789 que trois Chanceliers, d'Aguesseau, Lamoignon de Blancmesnil

---

(1) Outre les manuels et ouvrages précités pour le xviiᵉ siècle,
le *Dictionnaire des Institutions* de Marcel MARION (1922), toujours
précieux pour le xviiiᵉ siècle, n'a pas été remplacé encore. De

(père de Malesherbes) et Maupeou, mais ils furent le plus souvent doublés de Gardes des Sceaux au pouvoir effectif, sauf Maupeou de 1768 à 1774. Par contre, le Contrôle général vit, après 1754, défiler 17 titulaires précaires, signe des difficultés financières et politiques de cette charge essentielle, cheville ouvrière de la Monarchie. Parmi les 4 secrétaires d'Etat, un cas-limite de longévité ministérielle, le comte de Saint-Florentin, qui devint duc de La Vrillière, en fonctions de 1725 à 1775, d'autres ministres comme Maurepas (1718-1749), Orry (1730-1745), Machault, le comte d'Argenson (1743-1757), Choiseul (1758-1770) ont duré, mais beaucoup n'ont fait que passer. On note dans chaque département ministériel la multiplication des bureaux et des commis, le *Premier commis* étant un chef de cabinet ou de service, parfois vrai dirigeant comme aux Affaires étrangères. La Guerre et la Maison du Roi tendent à absorber toute l'Administration des provinces. On créa même, en 1763, un 5e Secrétariat d'Etat, appelé bonnement le *Département de M. Bertin* qui disparut avec lui (1780), chargé de l'Agriculture, des haras, des forêts, des mines, des manufactures, du commerce, etc., signe des temps qui accordent la primauté aux questions économiques, et pour soulager le Contrôle général, déjà écrasé par le problème fiscal et budgétaire.

Quant aux Conseils du Roi (1), on créa à côté

M. MARION, v. aussi l'*Histoire financière de la France*, t. I, 1715-1789, et une biographie de *Machault d'Arnouville*. — J. VILLAIN, *Le recouvrement des impôts directs sous l'Ancien Régime* (1952). J. GUEROUT, La taille dans la région parisienne au XVIIIe siècle (*Paris et Ile-de-France, Mémoires*, t. XIII, 1962, p. 145-358).

(1) Le spécialiste des Conseils du Roi est l'archiviste Michel ANTOINE, Les Comités de Ministres sous Louis XV (*Rev. hist. Droit*, 1951, n° 2) ; *Le Conseil des Dépêches sous Louis XV* (Bibl. Ec. Chartes, 1953) ; Le Conseil du Roi sous Louis XV (*Congrès Sc. Hist. Rome*, 1955, t. VII), et surtout Les Conseils des Finances sous Louis XV (*R.H.M.C.*, juillet 1958).

du *Conseil royal des Finances* un *Conseil royal du Commerce* (1730-1786) superposé au Bureau du Commerce (1722-1789), simple section administrative du Conseil d'Etat, avec des Intendants et commis chargés de la réalité du travail. A côté du *Conseil d'en-Haut* (Affaires étrangères), on ressuscita le *Conseil des Dépêches*, pratiquement aboli par le vieux Louis XIV, et formé de la réunion des ministres d'Etat (Conseil d'en-Haut) avec les secrétaires d'Etat pour aider et conseiller le contrôleur général : on lui adjoignit même à partir de 1757 deux conseillers d'Etat spécialisés (tels Gilbert de Voisins ou Joly de Fleury), qui furent de « quasi-ministres » aux Affaires intérieures. Enfin la déficience royale sous les deux règnes provoqua des réunions privées ministérielles hors du roi, appelées *Comités de Ministres*, vrais Conseils de Cabinet : le ministre dirigeant (Orléans, Bourbon, Fleury, Tencin, Noailles, Bernis, Choiseul, Maupeou, Maurepas, Necker, etc.), afin de mieux préparer la tâche des Conseils, convoque à son gré des ministres ou des secrétaires d'Etat intéressés, et souvent des comités particuliers où, à côté de ministres, il appelle en consultation des spécialistes ou techniciens (généraux, ambassadeurs, conseillers d'Etat). Avec un Louis XVI, les comités, « cessant d'être une pratique, devinrent une institution ». De nombreux *bureaux* ou *commissions*, rameaux adventifs du Conseil d'Etat, sont des organes d'études et de rapports pour les divers conseils et départements ministériels : outre le Bureau du Commerce, retenons celui des Ponts et Chaussées, corps créé en 1716, bientôt dirigé par de grands Intendants, d'Ormesson et Trudaine, dont l'œuvre grandiose, dirigée par le contrôleur général Orry, est la création du réseau routier français. Ce dernier régularisait, en 1738, la *corvée royale* pour la main-d'œuvre de construction et d'entretien : chaque paroisse riveraine formait un atelier sous la direction de l'Intendant de la Généralité : prestation en nature de 6 à 30 ou 40 jours par an, elle retombait sur les villageois les plus pauvres. L'idée d'une redevance compensatrice en argent, proportionnelle à la taille ou aux vingtièmes, se fit jour vers 1760 chez les économistes et certains Intendants ; elle progressa mais se heurta toujours au veto des Parlements, des propriétaires visés par la taxe, et de certains notables.

Le xviiie siècle, fait essentiel, a inventé le type moderne du *fonctionnaire appointé et spécialisé* dans les divers services publics, sous le nom déjà ancien de *commis*, à côté des officiers et commissaires : tout un personnel technique, ponts et chaussées, commerce et douanes, régies financières diverses, surtout des vingtièmes, des aides et des domaines, se développe.

Sur le *plan provincial et local*, la multitude des vieilles institutions survit et végète, peu à peu vidées de leur contenu : ainsi par exemple, en 1772, les justices seigneuriales seront réduites à l'instruction des affaires. On tenta d'en revigorer certaines, comme les corps de ville : on voyait ici des mairies vénales, ailleurs des mairies électives, et l'édit de 1764, aboli en 1771, tenta de généraliser les municipalités élues, ce qui ne fut réalisé dans les villages comme dans les villes, avec un corps électoral censitaire, que par l'édit du 23 juin 1787. On tenta d'en créer d'autres, comme l'essai limité d'*Assemblées provinciales*, à pouvoir consultatif et administratif, en 1778, sous Necker (après le projet de Municipalités de Turgot et Dupont de Nemours en 1776) : Berry, Haute-Guyenne (Montauban), Dauphiné, Bourbonnais, essai repris et généralisé en juin-juillet 1787 (chaque Assemblée de 48 notables élus) et chargées surtout de répartir et asseoir l'impôt direct. Elles rencontrent l'hostilité des privilégiés qui préféreraient la généralisation des Etats provinciaux des Trois Ordres du type languedocien ou breton.

La réalité de toutes les affaires locales est administrativement absorbée par les 33 *Intendants* (34 Généralités, mais Toulouse et Montpellier forment l'Intendance de Languedoc) et leurs nombreux *subdélégués* : les subdélégations se superposent aux élections et bailliages, dans un inextricable chevauchement, tout comme les gouvernements, intendances, parlements et autres juridictions ou systèmes fiscaux. On a tout dit sur l'Intendant, l'œil du roi dans la province, cumulant tous les pouvoirs, agent de centralisation autoritaire, devenant, après 1750, administrateur éclairé, philanthrope, bienfaiteur et défenseur de sa province (thèse d'Ardascheff, 1909), mais il faut nuancer (1). La tendance générale du siècle est double : elle vise à la représentation des Notables et propriétaires en corps consultatifs associés à l'Administration ; elle vise ensuite à opposer aux forces centralisatrices de Versailles et des Intendants, des forces centrifuges et provin-

(1) Maurice BORDES, Les Intendants de Louis XV (*R. hist.*, janvier 1960) ; DU MÊME, *D'Etigny et l'Administration de l'Intendance d'Auch (1751-1767)* (1957) ; DU MÊME, l'Intendance d'Auch au XVIIIᵉ siècle (*Inform. histor.*, nº 1, 1962) ; Les intendants éclairés de la fin de l'Ancien régime (*R.H.E.S.*, nº 1, 1961). F. DUMAS, *La Généralité de Tours et l'Intendant du Cluzel (1766-1783)* (1894) ; M. LHÉRITIER, *Tourny* (1920) ; L. GUÉRIN, *L'Intendant de Cypierre et la vie économique de l'Orléanais (1760-1785)* (1938) ; DARRIGUE-PEYROU, *Dupré de Saint-Maur, Intendant de Guyenne, et le Parlement de Bordeaux (1776-1785)* (1936) ; M. BERLET, *Les tendances unitaires et provinciales à la fin du XVIIIᵉ siècle* (1913) ; L. LACHAZE, *Les Etats provinciaux de l'Ancienne France...* (1909) ; P. RENOUVIN, *Les Assemblées provinciales de 1787* (1921) ; M. PIQUARD, L'Intendant Lacoré (in *Ann. Fr.-Comté*, 1946), et la thèse de H. FRÉVILLE, *L'Intendance de Bretagne (1689-1790)* (1953). Les Questions administr. dans la France du XVIIIᵉ siècle par J. PHYLITIS et divers (Presses Universitaires de France, 1965).

cialistes incarnées dans les Etats et les Parlements, citadelles de la réaction « féodale ». *L'idéal nobiliaire de 1789 sera une autonomie locale décentralisée avec self-government à l'anglaise* : il s'agit de toute façon de conseiller, surveiller, brider l'Intendant.

L'Intendant est omnipotent dans les pays d'élections, mais il n'a plus les coudées franches s'il a devant lui un Parlement, et aussi des Etats (Rennes, Toulouse, Pau, Dijon, etc.), ou même s'il ne s'entend guère avec le lieutenant-général « commandant en chef » de la province, et Choiseul essaya un temps de rendre à celui-ci un rôle de gouvernement (d'Aiguillon à Rennes, Fitz-James à Toulouse). Les heurts sont fréquents, les rapports toujours délicats. On s'aperçoit que tous les Intendants ont usé des mêmes méthodes en matière de réalisations routières, urbanistes, agricoles ou industrielles, qu'ils ont agi selon les directives gouvernementales (telles les instructions de l'Intendant des Finances d'Ormesson et du ministre Bertin en fait de clôtures agraires et d'objectifs physiocratiques). Leurs initiatives « éclairées » ne purent se faire qu'en accord avec le pouvoir central, ainsi les plans parcellaires en vue de cadastration pour mieux asseoir une taille « tarifée » ou proportionnelle (Trudaine en Auvergne, Tourny et Turgot en Limousin, Bertier de Sauvigny en Ile-de-France). La question se pose : le « grand Intendant », qui sait à la fois être « l'homme du roi » et « l'homme de la province », existe-t-il vraiment ? Tant qu'Orry et Machault, de 1730 à 1757, ont tenu le pouvoir d'une main ferme, l'autorité des Intendants fut forte, comme celle d'un Tourny, à Bordeaux jusqu'en 1757. Avec des ministres hésitant devant les résistances nobiliaires, les Intendants durent louvoyer, et partout les Parlements, sous Choiseul et sous Louis XVI, les battirent en brèche.

Ce dernier règne a vu le grignotage de leur compétence administrative, par les Parlements, par les Etats provinciaux, parfois les jeunes Assemblées provinciales.

Les fluctuations politiques du siècle montrent que le *despotisme ministériel* de plus en plus « éclairé » a tenté de résoudre les problèmes financiers, économiques et sociaux par des essais de *réformes structurales* qui ont ébranlé le régime en soulevant des résistances, et qu'ainsi *l'évolution institutionnelle a provoqué une crise constitutionnelle*, ouverte dès 1750 avec le duel de la Couronne et de la Robe.

Les *7 ans de la Régence* sont un intermède de réaction contre Louis XIV (polysynodie aristocratique des ducs et pairs avortée dès 1718, jansénisme gallican, alliance anglaise) et d'essais novateurs (système de Law pour l'essor du crédit et de l'économie), mais le Régent et Dubois décrivent un cycle complet en revenant au système de Louis XIV, dès 1720, par un retour aux Jésuites (l'Unigenitus), aux Financiers (les Pâris), à Versailles même en juin 1722 : vers 1720, tournant du siècle par un divorce qui se creusera entre les Institutions et les idées novatrices, entre le Roi isolé et la Nation. *20 ans de paix relative* et de despotisme administratif sous *Fleury* surtout coïncideront avec une monnaie stabilisée (1726), la reprise de la hausse en phase A et les premiers grands efforts (réseau routier, taille tarifée, maintien périodique de l'impôt du Dixième). *20 années de fermentation dynamique* suivront au temps de *Mme de Pompadour*, avec la reprise des guerres, et au-dedans la primauté de la Finance et le 1er assaut de *Machault* contre les Ordres privilégiés, en 1749, mais le roi indolent flotte entre l'épiscopat et les Parlements en conflit, entre l'impératif budgétaire et les privilèges, entre la tolérance et la condamnation. Les *12 années de Choiseul* (1758-1770) voient coïncider l'âge d'or économique du règne avec un aimable laisser-faire gouvernemental, et même une vraie capitulation du pouvoir devant la Robe. Après le *2e assaut de despotisme éclairé* (Maupeou-Terray) qui brise la Robe et revient au dirigisme autoritaire, le désarroi de l'apathique Louis XVI flotte entre le despotisme éclairé (1774-1781 et 1787-1788), les concessions aux privilégiés (**1776**, 1781, 1787 et 1788) et les appels à l'opinion (1786-1787-1788).

II. — La crise finale sous Louis XVI (1)

La phase A de prospérité connaît un intercycle catastrophique de 12 ans. A la « splendeur de Louis XV » qui culmine au temps de Choiseul succède le « déclin de Louis XVI », ce *roi malchanceux* en tout, desservi par un renversement de la conjoncture, marqué d'abord par une dépression intercyclique de 1778 à 1787. Pourquoi ce renversement ?

En 1778, tout débuta, comme toujours dans la vieille économie, par des phénomènes climatiques et agricoles : au moment où la France s'engage dans la guerre d'Amérique, la chaleur amène des vendanges trop riches, d'où *mévente du vin* avec chute des prix, alors que le vin, produit un peu partout, était pour bien des paysans le meilleur et parfois le seul surplus agricole à vendre contre argent : une foule de petits tenanciers et métayers furent atteints durablement et cessèrent d'acheter aux villes manufacturières. En 1785, la *sécheresse* décime le bétail, et de plus, le prix des grains, très abondants, baisse : d'où chute du pouvoir d'achat des ruraux formant alors la masse des consommateurs, donc recul des commandes industrielles et chômage urbain par ricochet. Calonne, en 1786, pour exporter les excédents de blé et satisfaire les physiocrates, conclut avec Londres le *traité Eden-Rayneval* : échange de grains et vins français contre tissus et fers anglais. Ce traité, qui n'est pas la cause initiale du malaise industriel, l'aggrava par la concurrence des produits anglais, et la campagne, avec son artisanat rural, souffrit comme les villes. Ce traité sera le croquemitaine des industriels et ouvriers français, d'où l'anglophobie belliqueuse de ces milieux sociaux qui seront « jacobins » et « patriotes » sous la Révolution : Pitt sera le bouc émissaire. De plus, dès 1786, le hausse cyclique des prix reprend, alors que manquent les moyens de paiement.

Or, 1787 connut des pluies diluviennes, 1788 par contre une sécheresse anormale, coupée de grêles et d'orages, d'où *2 années de récoltes déficitaires*, avec hausse en flèche des grains et du pain. Là-dessus l'*hiver 1788-1789*, par un gel désastreux, rappelle le Grand Hiver de 1709, bloque rivières, transports et moulins. D'où dès 1788, des troubles ruraux, des

(1) Outre les ouvrage de P. JOLLY et de C. J. GIGNOUX sur Turgot, v. Edg. FAURE, *La disgrâce de Turgot* (Gallimard, 1961) ; J. GODECHOT, *La prise de la Bastille* (Gallimard, 1965).

bandes d'errants, de « brigands », qui menacent magasins et
greniers, convois de grains et farines. Necker, à l'automne 1788,
stocke les grains dont Calonne avait libéré le commerce.
Partout faillites, chômage, disette : ceci au moment même où
s'opérait la *rupture Aristocratie-Bourgeoisie* (le 25 septembre 1788, le Parlement réclame des Etats généraux comme
en 1614, donc sans doublement du Tiers Etat : d'un seul coup,
la popularité du Parlement s'effondre, et contre les Privilégiés
se cimente le *Bloc du Tiers Etat*, du grand bourgeois au petit
paysan). En 1789, les troubles agraires éclatent dès le prin-
temps, malgré l'euphorie des élections et de la réunion des
Etats. Le 14 juillet parisien, suivi en province de la quinzaine
de la Grande Peur, éclate à l'apogée de la crise frumentaire,
pendant la soudure à la veille de la moisson. *Peur bourgeoise*
de la banqueroute, des désordres populaires et de la Cour,
peur populaire de la famine, de l'armée et du « complot des
aristocrates », *peur de l'armée* devant l'insurrection, *peur
villageoise* des « brigands » ; de toutes ces peurs sortit la Nuit
du 4 août avec l'ébranlement de l'Ancien Régime social : la
nuit de l'Egalité.

Cependant, à la hausse cyclique des prix se surimposait en
plein chômage la hausse saisonnière du pain, et l'on sait le
rôle du pain dans la marche parisienne sur Versailles, le 5 octobre, et dans le vote de la loi martiale du 21 octobre 1789 après
le massacre d'un boulanger. Déjà, en face du *bourgeois, partisan de la liberté économique*, le peuple réclame *taxation* et *réqui-
sition*, deux mots d'ordre révolutionnaires...

III. — Comment et pourquoi 1789 ?

La Révolution fut :

1) *Préparée* dans les esprits éclairés de la Bourgeoisie et d'une partie de la Noblesse et du Clergé
par la propagande philosophique qui critique
l'archaïsme des Institutions, illustré par Mirabeau
montrant l'inachèvement national : la France n'est
qu'un « *agrégat inconstitué* de peuples désunis »,
phrase qui répond à la boutade de Voltaire : « A
chaque relais, on change de *lois* en changeant de
chevaux de poste. » On voit la tendance à l'Unité,
on dira bientôt à l'Indivisibilité, contre les particularismes, baptisés *fédéralisme* en 93. Mais en 89,

le mot *Fédération* évoque une Union fraternelle et volontaire des provinces.

La pensée du siècle est incarnée dans la triade Montesquieu (qui a posé le dogme de la séparation des 3 pouvoirs (1), sans laquelle un peuple n'a pas de Constitution réelle) Mably (qui a posé la primauté du Législatif des représentants du peuple sur l'Exécutif) Condorcet (vivante synthèse de Voltaire et de Rousseau) qui précise la doctrine : l'égalité des droits, la liberté civile, la souveraineté et l'unité de la Nation, la tolérance religieuse, la croyance optimiste en un *progrès* indéfini de l'Humanité ; il aboutit à un credo « patriotique » en une *Trinité civique* : la *Nation* souveraine, la *Loi*, expression de la « volonté générale » de la Nation, le *Roi*, premier fonctionnaire public et gardien de cette Loi qu'il fait exécuter. Tel sera l'évangile des Etats, vivifié par l'exemple récent de la Liberté américaine. Mais ces *Patriotes* ne sont pas démocrates et la Nation n'est pour eux que la France éclairée, lettrée et riche. Condorcet, comme Turgot, n'admet comme citoyens *actifs* que les propriétaires et les gens aisés, parce qu'ils offrent théoriquement des garanties d'instruction et d'expérience et sont intéressés au salut de l'Etat. Certains, les *Anglomanes* (bientôt surnommés Monarchiens) voudraient un bicamérisme whig avec Chambre Haute de nobles terriens, Chambre des Communes de capitalistes libéraux, avec Clermont-Tonnerre, Lally-Tollendal, l'avocat grenoblois Mounier ou les amis du duc d'Orléans, mais la plupart, avec La Fayette, Mirabeau, Sieyes, Condorcet, épris de liberté individuelle et de souveraineté nationale, ne veulent qu'une Assemblée dans une *Nation* une, sans Etats de notables provinciaux.

2) *Favorisée* par la crise économique et sociale aiguë de 1787-1789 qui aggrave le climat pré-révolutionnaire : la crise des subsistances et des affaires s'est surimposée à la crise financière d'Etat et à la crise idéologique, car les causes intellectuelles et politiques du mouvement ne suffirent pas à son déclenchement, ce qu'a bien vu le fin observateur suisse, le journaliste Mallet du Pan : « Il ne s'agit plus que très secondairement du Roi, du despotisme et de la Constitution ; c'est une guerre entre le

(1) Il y a, selon lui, interaction modératrice : le *velo*.

Tiers Etat et les deux autres Ordres. » Mais en fait, il y avait des « économiquement faibles » dans les Trois Ordres et tous les milieux étaient plus ou moins atteints.

3) *Déclenchée* par la convocation des Etats, fait capital et cause immédiate, imposée par deux impératifs :

a) Le *déficit* chronique, 125 millions en 1789, et Camille Desmoulins soulignera en riant le recours aux Etats : « Bienheureux Déficit, tu es devenu le Trésor de la Nation ! », puisqu'il lui permet enfin de s'exprimer ;

b) La *révolte nobiliaire,* dressée contre la mesure d'égalité fiscale qui permettrait d'éteindre la Dette (300 millions pour 26 millions de Français, soit environ 11 livres par tête !) : l'impôt foncier de la *subvention territoriale,* repoussée en 1787 par le Bloc des privilégiés, Notables réunis à Versailles, Etats provinciaux, Parlements, et la dernière Assemblée du Clergé (juin 1788). Chateaubriand notera : « les plus grands coups portés à l'antique constitution de l'Etat le furent par des gentilshommes. Les *patriciens commencèrent la Révolution* » (1).

Tous les problèmes financiers, fiscaux, politiques, économiques, sociaux, se posaient en même temps : le gouvernement, débordé par l'urgence simultanée de ces questions, n'apporte et ne propose aucune réponse, car on n'avait que Louis XVI et que Necker : un roi sans intuition ni volonté, incapable par éducation comme par nature de comprendre l'ampleur du mouvement réformateur devant la sclérose du régime, qui verra dans ses sujets des enfants égarés, qui voudra « ouvrir des bras paternels » à leur repentir et ne verra dans la Révolution qu'une *mutinerie,* pendant que le malheur de la France est de croire qu'il pourrait se transformer en « roi citoyen » et collaborer avec ses représentants ; Necker, un ministre probe et philanthrope, mais infatué de ses capacités et de sa popularité, qui

(1) J. Egret, *La Pré-Révolution française 1787-88* (Presses Universitaires de France, 1962). A. Soboul, *La France à la veille de la Révolution,* I : *Economie et société* (S.E.D.E.S., 1966).

voit tout avec des yeux de banquier et non d'homme d'Etat, qui pense crédit et non réforme : il consent à regret, le 27 décembre 1788, malgré les princes et les notables, le *doublement du Tiers* (à l'instar des Etats du Languedoc, modèle envié, et des récentes Assemblées provinciales) aux futurs Etats généraux, mais ne leur apportera aucun programme constructif, aucune vue d'ensemble des problèmes d'actualité. On aborde « à vide » la réunion des Etats sans rien proposer à l'ordre du jour de leurs débats, d'ailleurs stérilisés d'avance si l'on gardait le vote par Ordre. Si certains nobles admettaient l'égalité fiscale, ce qu'offrait Necker au 23 juin 1789, *après* la proclamation de l'Assemblée Nationale et le Serment du Jeu de Paume, était d'une timidité maintenant dérisoire. C'est pourquoi les Etats combleront ce « vide » royal, assumeront la relève et aborderont « révolutionnairement » tous les problèmes nationaux : le 9 juillet, l'Assemblée se proclame *Constituante*, titre qui fait passer la *souveraineté* de la tête du roi sur celle des représentants, car il n'y a rien au-dessus d'un pouvoir constituant, le roi n'étant plus que le premier des pouvoirs constitués, et l'Assemblée pourra dominer le dernier sursaut rétrograde de l'Ancien Régime du 11 juillet (renvoi de Necker et rassemblement d'une armée) grâce à la prise d'armes de Paris et de la plupart des provinces. Partout des corps municipaux élus par la bourgeoisie et les paysans aisés prennent le pays en main en s'appuyant sur des gardes nationales.

Louis XVI pourra ergoter, différer jusqu'en novembre sa sanction aux décrets des 5-11 août et à la Déclaration des Droits de l'Homme du 26 août, choisir de s'engager dans le double jeu qui lui sera fatal : rien n'y fera. Le royaliste Rivarol peut écrire : « Lorsqu'on veut empêcher les horreurs d'une révolution, il faut la vouloir et la faire soi-même ; *elle était trop nécessaire en France pour ne pas être inévitable...* » Ce contre-révolutionnaire lucide répondait d'avance à bien des auteurs des XIXe et XXe siècles. De même son adversaire politique, mais son émule en finesse, Nicolas Chamfort, dira aux timorés : « Les courtisans et ceux qui vivaient des abus monstrueux qui écrasaient la France sont sans cesse à dire qu'on pouvait réformer les abus sans détruire comme on a détruit. *Ils auraient bien voulu qu'on nettoyât l'étable d'Augias avec un plumeau !* » Sa verve satirique vengera par des flèches empoisonnées cette bourgeoisie devenue majeure en tous domaines (1) : « La Noblesse, disent les nobles, est un intermédiaire entre le roi et le peuple... oui, comme le chien de chasse est un inter-médiaire entre le chasseur et le lièvre... » ou bien : « La nécessité d'être gentilhomme pour être capi-taine de vaisseau est tout aussi raisonnable que d'être secrétaire du roi pour être matelot... »

Le même Chamfort touche du doigt la plaie fondamentale dans une lettre du 15 décembre 1788 à son très cher ami, le courtisan Louis de Vaudreuil, dont il se séparera avec un cruel déchirement par probité intellectuelle : « De quoi s'agit-il ? D'un procès entre 24 millions d'hommes et 700 000 privilégiés. Vous croyez qu'on vous attaque personnellement. Point du tout ; une grande Nation peut élever et voir au-dessus d'elle quelques familles distinguées, elle peut rendre hommage à d'antiques services... mais, en conscience peut-elle porter 700 000 anoblis qui, quant à l'impôt, sont aux mêmes droits que les Montmorency et les plus anciens chevaliers français ? Ne voyez-vous pas qu'il faut nécessairement qu'un ordre de choses aussi monstrueux soit changé, ou que nous périssions

---

(1) La bourgeoisie, économiquement triomphante, n'est pas seule-ment humiliée en droit mais souvent en fait : le jeune Barnave ne pardonnera jamais l'expulsion de sa mère de son fauteuil au théâtre de Grenoble pour y placer un gentilhomme, inguérissable blessure d'amour-propre.

tous également, Clergé, Noblesse, Tiers-Etat. On va même jusqu'à prononcer le mot de démocratie. La démocratie ! dans un pays où le peuple ne possède pas la plus petite portion du pouvoir exécutif ! dans un pays où la puissance royale ne vient que de rencontrer des obstacles de la part des corps dont presque tous les membres sont nobles ou anoblis !... Je m'effraie de l'avenir ! » Et il ajoutera : « Sur une population de 25 millions d'hommes, 5 millions de pauvres dans toute la force du terme, c'est-à-dire mendiants ou prêts à mendier (1). Quand ces maux sont montés à un tel excès, tout l'édifice social chancelle, et court le risque d'être renversé... voilà ce que n'ont pas voulu voir ceux qui jusqu'à présent ont écrit sur le peuple. »

Bien des points restent débattus de nos jours, qui ne sont peut-être que de faux problèmes, ou des problèmes mal posés :

1) Pourquoi l'*échec du despotisme éclairé* ? Outre le mur des privilèges, il eut en face de lui l'*opinion éclairée* des classes dirigeantes, d'une élite sociale (salons, académies, clubs, presse) peu encline à subir les décisions fondamentales d'un pouvoir absolu. On a noté que l'efficacité du despotisme éclairé fut directement proportionnelle à la faiblesse de l'opinion publique (Prusse, Russie, Autriche, Italie, Espagne) (2). En France, une condamnation faisait le succès d'une brochure, et l'embastillement auréolait son auteur. Le règne de Louis XVI vit une floraison de publications, surtout avec la quasi-liberté concédée par Necker, floraison qui fit la gloire de l'abbé Sieyes, avec l'*Essai sur les privilèges* et son claironnant *Qu'est-ce que le Tiers Etat ? Tout...*, dont le titre fut peut-être suggéré par Chamfort. Et c'est le pullulement des *Cahiers des Etats*, « testament de l'ancienne France », où les paroisses exprimaient dans leurs naïves *doléances* ce qu'elles voulaient voir détruire, et les bailliages, plus intellectuels et bourgeois, ce qu'ils voulaient voir créer. Divergences multiples entre les Ordres, mais quasi-unanimité pour n'être plus sujets, mais *citoyens*, qualité la plus précieuse, disent même le Clergé et la Noblesse de Touraine. On attendait maintenant

(1) En 1789, sur 650 000 Parisiens, la police comptait 100 000 indigents de toutes catégories.
(2) En France, le bilan est modeste : la suppression de la corvée (1776-1787), la suppression du servage dans le domaine royal (1779), l'abolition de la question préparatoire (1780) et de la question préalable (1787), l'abolition du péage corporel des juifs (1784), l'état civil des protestants (1787), les Assemblées provinciales et les municipalités contrôlées de 1787...

des réformes de structure, non une révolution, mais une « régé-
nération nationale ». La Royauté n'est nullement en cause
et le loyalisme est vif, mais la conception du pouvoir royal,
simple pouvoir d'exécution, a changé. La République ? un
pis-aller qui surgira des bagages d'un roi suspect au retour
de Varennes. La Révolution en marche sera bien plus guidée
par les intérêts et les passions que par les théoriciens.

2) *Révolution de la richesse* ou *Révolution de la misère* ?
Deux thèses qui se complètent au lieu de s'opposer, car elles
ne s'excluent pas. Pour Jaurès et Mathiez, la Révolution est
née de la poussée de la bourgeoisie, force pensante, productrice
et de plus en plus riche, impatiente de l'emprise légale des
classes privilégiées qui confisquent l'Etat. Le commerce
extérieur français n'atteint-il pas 1 153 millions en 1787,
autant que l'Angleterre ? « C'est dans un pays florissant, en
plein essor, qu'éclatera la Révolution. La misère qui détermine
parfois des émeutes, ne peut pas provoquer les grands bouleversements sociaux » (Mathiez). Le « déséquilibre des classes »
est essentiel. On avait paradoxalement *un Etat pauvre dans
une France riche*, riche en potentiel productif et capitaux.

Pour Michelet (le peuple : « Job sur son fumier »),
la misère fut déterminante, comme pour G. Lefebvre
et E. Labrousse, mais avec des nuances d'analyse :
la crise profonde des années finales fut d'autant plus
ressentie qu'elle succédait à une longue flambée
de prospérité, mais le mouvement général de l'économie était en expansion.

L'inflation-hommes correspond à l'inflation-argent,
dit Labrousse :

La première a donné les troupes de choc des « Journées »
révolutionnaires, chômeurs urbains, prolétaires du 14 juillet,
artisans, futurs sans-culottes du 17 juillet 1791, du 20 juin,
du 10 août 1792, du 31 mai 1793, métayers ou tenanciers qui
d'emblée s'attaquèrent aux moulins banaux, aux monopoles
de chasse et de colombier, aux terriers et chartriers des vieux
« droits » ; la seconde a fourni l'état-major, avec cet essor du
bourgeois, méritant et gagnant, que montre l'aristocrate
Bouillé lui-même dans ses *Mémoires*, et que E. Labrousse
appelle « refoulé social » quoique socialement triomphant mais
juridiquement entravé dans l'Etat. La Nuit du 4 Août ?
Scénario peut-être de la classe propriétaire, mais surtout la
part du feu devant l'incendie national : abolir les servitudes

personnelles pour tenter de sauver le reste, les servitudes *réelles*, en les déclarant rachetables. C'est pourquoi beaucoup jugeront la Révolution incomplète, faute d'avoir rendu franchement la terre libre, tout en proclamant l'égalité des droits (1). Révolution bourgeoise, dit Alb. Soboul, « mais à noyau paysan et soutien populaire ».

3) *L'an 1789 est-il une coupure ?* Tocqueville souligne la continuité d'une Révolution qui a parachevé l'unification centralisatrice et nationale de la Monarchie, solidaire du futur Comité de Salut public. Taine, d'un rationalisme paradoxalement obscur, voit dans la Révolution le produit de l'esprit classique du xviie siècle, mais n'explique pas comment cet esprit d'ordre et de raison, constructif au xviie, serait devenu destructif au xviiie...

En fait, il est évident que la Société d'Ancien Régime a fait elle-même la Révolution, que la génération dite révolutionnaire est un produit de l'Ancien Régime, formé sous lui, par lui, d'un Talleyrand à un Babeuf, que la Révolution est l'œuvre d'aristocrates libéraux comme La Fayette, Mirabeau, d'Aiguillon, les frères Lameth, Duport et combien d'autres, d'abbés comme le Provençal Sieyes, le Poitevin Jallet ou le Lorrain Grégoire, de juristes praticiens, d'hommes réalistes (et non rêveurs de nuées) comme Merlin de Douai, Robespierre d'Arras, Cambacérès de Montpellier, Thouret de Rouen, Le Chapelier de Rennes, Danton d'Arcis-sur-Aube, Barnave de Grenoble, Target de Paris, Pétion de Chartres, Buzot d'Evreux, le Lorrain François de Neufchâteau, le Bourguignon Carnot, l'Auvergnat Couthon, le Nantais Fouché, le Nîmois Rabaut-Saint-Etienne, le Montalbanais Jeanbon Saint-André, les Corses Saliceti et Bonaparte, et tous les avocats bordelais romantiques ; tous ces hommes faits d'avant 1789 sont les grands acteurs de la Révolution, et toute la France y a contribué, « fédérée » dans le même faisceau d'efforts.

(1) V. sur cet ensemble : *La Révolution et l'Égalité civile* (1953) et *La Révolution et la propriété foncière* (1959) de Marcel GARAUD *(Recueil Sirey)*. Une catégorie sociale juridique a duré jusqu'en 1789 : environ un million de *mainmortables* et *mortaillables* (incapables de léguer, aliéner, etc.), survivance atténuée du servage, la plupart *serfs d'héritage*, non plus de corps, en Franche-Comté (abbayes de Saint-Claude, Luxeuil), chapitres de Verdun, Lorraine, Bourgogne, Nivernais, Berry et Marche.

Mais la *coupure* ? Tous ces hommes l'ont sentie, marquée ou voulue. Pour l'homme de 89, pas de problème des causes. Simpliste explication : *le peuple français s'est soulevé contre les tyrans et a brisé ses fers.* Etre « patriote » signifiait vouloir « régénérer » la Nation, donc rompre avec un passé « gothique ». Dès le 15 juin 1789, Barère déclarait aux députés aux Etats dans le n° 1 de son journal, *Le Point du Jour* (titre quasi messianique) : « Vous êtes appelés à recommencer l'Histoire... » Et les « Constituants » dont le nom seul signifiait qu'ils prétendaient partir d'une nébuleuse ou d'une table rase, proclamaient cette rupture avec un passé multiséculaire dans le leitmotiv rythmique et lancinant du Préambule de leur Constitution de 1791 qui sonnait comme un glas : « *Il n'y a plus ni* noblesse *ni* pairie, *ni* distinctions héréditaires, *ni* distinctions d'ordres, *ni* régime féodal, *ni* justices patrimoniales, *ni* aucun ordre de chevalerie... *ni* aucune autre supériorité que celle des fonctionnaires publics dans l'exercice de leurs fonctions... *Il n'y a plus ni* vénalité, *ni* hérédité d'aucun office public ; *il n'y a plus,* pour aucune partie de la nation *ni* pour aucun individu, aucun privilège *ni* exception au droit commun de tous les Français... *il n'y a plus ni* jurandes *ni* corporations de professions... » Il n'y a plus rien de ce qui blessait « la liberté et l'égalité des droits », car aux « libertés », c'est-à-dire aux privilèges collectifs succède la Liberté, notion individualiste absolue. Il n'y a plus qu'une *juxtaposition d'individus* théoriquement égaux en droits, des « grains de sable » selon Napoléon, et la France moderne à base égalitaire et individualiste succède aux structures organiques communautaires, corporatives et hiérarchisées de l'Ancien Régime.

BIBLIOGRAPHIE SOMMAIRE

Outre les divers manuels d'Histoire du Droit ou des Institutions, se reporter aux textes fondamentaux :

Les œuvres de Ch. LOYSEAU, *Traité des Ordres, Traité des Seigneuries, Traité des Offices*, etc. (1608-1613).

J. DOMAT, *Traité des Lois* (1681), *Les lois civiles dans leur ordre naturel* (1694), *Le Droit public* (1697).

Abbé Claude FLEURY, *Histoire du Droit français* (1674), *Droit public de France* (1675).

DELAMARE et LECLERC DU BRILLET, *Traité de la Police* (4 vol., 1705-1738).

GUYOT, Germain-Antoine, *Traité des Fiefs, tant pour les pays coutumiers que pour les pays de droit écrit* (7 vol. in-4°, Paris, 1751, Bibl. Sainte-Geneviève, cote F 4° Sup. 131).

GUYOT, Pierre-Jean-Jacques-Guillaume, *Répertoire universel et raisonné de Jurisprudence civile, criminelle, canonique et bénéficiale...* (17 vol. in-4°, Paris, 1784-1785).

GUYOT et MERLIN, *Traité des Droits, fonctions, franchises, privilèges et prérogatives annexées en France à chaque dignité et à chaque office* (3 vol. in-4°, Paris, 1786 ; Bibl. Sainte-Geneviève, cote L 429 6-8, 175-177).

Les œuvres de POTHIER, surtout le *Traité des personnes* (éd. Dupin, 1825).

BOUTARIC, *Traité des droits seigneuriaux*, 1751.

BONCERF, *Les inconvénients des droits féodaux*, 1776.

Sur le plan institutionnel, v. aussi :

SAUGRAIN, *Dénombrement du royaume par généralités...*, 1720.

DUMOULIN, *Description générale du royaume divisé en généralités (1762-1767).*

ISAMBERT, *Recueil général des anciennes lois françaises*, 29 vol., 1823 et sq.

Encyclopédie méthodique, t. II et III (éd. Panckoucke, 1781, et sq.).

1789. *Les Français ont la parole*. Cahiers des Etats généraux présentés par P. GOUBERT et M. DENIS (coll. « Archives », Julliard, 1964).

R. MANDROU, *La France aux XVIIe et XVIIIe siècles*, coll. « Nouvelle Clio », Paris, Presses Universitaires de France, 1967.

TABLE DES MATIÈRES

1968. — Imprimerie des Presses Universitaires de France. — Vendôme (France)
ÉDIT. N° 30 013   IMPRIMÉ EN FRANCE   IMP. N° 20 716